OTTO BÖCHER

DIE JOHANNESAPOKALYPSE

WISSENSCHAFTLICHE BUCHGESELLSCHAFT

DARMSTADT

1. Auflage 1975
2., durchgesehene Auflage 1980

CIP-Titelaufnahme der Deutschen Bibliothek

Böcher, Otto:
Die Johannesapokalypse / Otto Böcher. –
3., durchges. u. um e. Nachtr. erw. Aufl. –
Darmstadt: Wiss. Buchges., 1988
  (Erträge der Forschung; Bd. 41)
  ISBN 3-534-04905-5
NE: GT

⦿ Bestellnummer 04905-5

3., durchgesehene und um einen Nachtrag erweiterte Auflage
© 1988 by Wissenschaftliche Buchgesellschaft, Darmstadt
Satz: Setzerei Gutowski, Weiterstadt
Druck und Einband: Wissenschaftliche Buchgesellschaft, Darmstadt
Printed in Germany
Schrift: Linotype Garamond, 9/11

ISSN 0174-0695
ISBN 3-534-04905-5

OTTO BÖCHER
DIE JOHANNESAPOKALYPSE

ERTRÄGE DER FORSCHUNG

Band 41

INHALT

Nachtrag 1988

VORWORT ZUR 1. AUFLAGE

Kaum ein Buch der Bibel wurde im Laufe der Kirchengeschichte so oft gelesen, zitiert, gedeutet und mißbraucht wie die
Johannesapokalypse. Wenig geschätzt von den Reformatoren,
als unecht abgetan von der Aufklärung, aber leidenschaftlich
geliebt von den Schwärmern aller Jahrhunderte, setzt dieses
einzige „prophetische" Buch des Neuen Testaments noch immer
der historisch-kritischen Auslegung beachtliche Schwierigkeiten
entgegen.

Wenigstens eines ist im Laufe der letzten 270 Jahre deutlich
geworden: Der Apokalyptiker denkt und schreibt in den Kategorien des Judentums, eines Judentums freilich, das mit seiner
Literatur weithin ein Opfer der jüdischen Katastrophe der
beiden ersten Jahrhunderte n. Chr. geworden ist. Die Parallelen
und Voraussetzungen der Johannesapokalypse sind kaum in
pharisäisch-rabbinischen Texten zu suchen, sondern vor allem
in denjenigen der sogenannten jüdischen Apokalyptik (Henoch-
bücher, Qumran, 4. Esra, Baruchapokalypsen u. a.). Die hier
ausgesprochenen Hoffnungen auf eine herrliche Zukunft Israels
und seiner Hauptstadt Jerusalem sind auch die des christlichen
Apokalyptikers – nur daß sein Messias Jesus heißt und daß
Jesu Anhänger aus dem Heidentum dazu beitragen, die Zwölfzahl der Stämme Israels wiederherzustellen.

Im folgenden wird versucht, ein Resümee des gegenwärtigen
Standes der Apokalypse-Forschung zu geben. Dazu dient im
ersten Teil des Bändchens ein forschungsgeschichtlicher Längsschnitt, der in chronologischer Ordnung die wichtigsten Auslegungen der Apokalypse seit etwa 1700 charakterisiert. Ein
exegetischer Querschnitt im zweiten Teil stellt zu ausgewählten
Problemen der Johannesapokalypse die Kommentierungen von
sieben Exegeten unseres Jahrhunderts jeweils synoptisch zusam-

IX

men und wagt eine abschließende Beurteilung. Den dritten Teil bildet die Bibliographie von 500 seit dem Jahre 1700 erschienenen Publikationen zur Auslegung der Apokalypse; sie ist alphabetisch nach den Namen der Autoren geordnet.

Die Anfertigung der Bibliographie wäre kaum möglich gewesen ohne mancherlei Hilfen von befreundeter Seite. Mit einzelnen Literaturhinweisen unterstützten mich viele Mainzer Kollegen; besonderen Dank schulde ich Herrn Prof. Dr. Wilhelm Pesch für seine Beratung bezüglich der katholischen exegetischen Literatur und Herrn Prof. D. Dr. Gustav Stählin, der mir seine Privatbibliographie zur Auswertung überließ. Herr Prof. Dr. Johannes Wirsching (Berlin) und Herr Prof. Dr. Klaus Haacker (Wuppertal) wiesen zahlreiche Titel nach; bei der Verifizierung älterer Veröffentlichungen unterstützte mich aufs liebenswürdigste Frau Dr. Agnes Stählin von der Universitätsbibliothek Erlangen. Den forschungsgeschichtlichen Längsschnitt (I) unterzog Herr Prof. Dr. Dr. h. c. Gustav Adolf Benrath (Mainz) einer kritischen Durchsicht. Mein Vetter, Reg.-Dir. Manfred Fürll (Wiesbaden), beteiligte sich am Lesen der Korrekturen. Allen diesen Helfern, auch den namentlich nicht eigens genannten, dankt der Unterzeichnete auch an dieser Stelle sehr herzlich.

Mainz, am 28. Februar 1975   Otto Böcher

VORWORT ZUR 3. AUFLAGE

Gern bin ich der Bitte der Wissenschaftlichen Buchgesellschaft nachgekommen, durch einen ausführlichen Nachtrag die Lücke zur ersten Auflage dieses Büchleins (1975) zu schließen. Mehrfache berufliche Veränderungen und die Last wachsender Lehr- und Prüfungspflichten sind daran schuld, daß mein geplanter Kommentar zur Apokalypse des Johannes (EKK) noch nicht abgeschlossen werden konnte; die seit dreizehn Jahren erschienene Literatur habe ich jedoch sorgfältig gesammelt und zu Einzelproblemen selber mehrfach Stellung genommen.

So referiere ich Forschungserkenntnisse und -probleme der letzten Jahre; eine Nachtragsbibliographie (Nr. 501–700) verzeichnet – außer 19 älteren Titeln – die Publikationen zur Apokalypseforschung seit 1975. Wiederum danke ich allen, die mir bei der vorliegenden Arbeit geholfen haben, insbesondere meinem bisherigen Assistenten, Herrn Kollegen Prof. Dr. Michael Wolter (Bayreuth).

Mein unvergessener Lehrer, Prof. D. Dr. Gustav Stählin, dem die erste Auflage zugeeignet war, wurde am 25. 11. 1985 aus der Zeitlichkeit abberufen, seine Schwester Dr. Agnes Stählin am 27. 9. 1987. Dem ehrenden Andenken beider sei diese Neuauflage gewidmet.

Mainz, im Juli 1988   Otto Böcher

ABKÜRZUNGEN

Die kanonischen und außerkanonischen Bücher der Bibel werden mit den Siglen des Handwörterbuchs ›Die Religion in Geschichte und Gegenwart‹ (RGG; Tübingen ³1957–1965) abgekürzt. Für die klassische und patristische Literatur gelten die Abkürzungen des ›Theologischen Wörterbuchs zum Neuen Testament‹ (ThWNT; Abkürzungsverzeichnis Stuttgart 1960), für Rabbinica System und Orthographie Paul Billerbecks (H. L. Strack – P. Billerbeck, Kommentar zum Neuen Testament aus Talmud und Midrasch. München 1922–1928.) Verweise innerhalb der folgenden Abhandlung erfolgen für die drei Hauptteile mit römischen, für die einzelnen Kapitel der ersten beiden Hauptteile mit arabischen Ziffern; Sekundärliteratur wird zitiert unter Nennung der römischen Ziffer III und der Nummer des jeweiligen Titels in der Bibliographie, wo sich die vollständigen Angaben finden.

Auch für die Angabe der Reihen, Zeitschriften und Nachschlagewerke in der Bibliographie wurde nach Möglichkeit das System der RGG zugrunde gelegt (VI, S. XX–XXXI). In einigen Fällen mußte jedoch auch auf Siglen des ›Lexikons für Theologie und Kirche‹ (LThK; Freiburg i. Br. 1957–1968) und des ›Elenchus Bibliographicus Biblicus‹ (Roma 1920 ff.) zurückgegriffen werden. Daher seien im folgenden die in der Bibliographie verwendeten Abkürzungen zusammengestellt.

AAL Abhandlungen der Sächsischen Akademie der Wissenschaften, Phil.-Hist. Klasse (Leipzig)   *ABBL* Allgemeine Bibliothek der biblischen Litteratur (Leipzig)   *AcOr(L)* Acta Orientalia (Leiden)   *ActB* Actualidad Bíblica (Madrid)   *AGG* Abhandlungen der (königlichen) Gesellschaft der Wissenschaften zu Göttingen, Phil.-Hist. Klasse (Berlin)   *AmiCl* L'Ami du Clergé (Langres)   *AnLov* Analecta Lovaniensia Biblica et Orientalia (Louvain, Bruges)   *ArSocRel* Archives de Sociologie des Religions (Paris)   *AThANT* Abhandlungen zur Theologie des Alten und Neuen Testaments (Zürich)   *AThR* The Anglican Theological Review (Evanston)   *BEvTh* Beiträge zur Evangelischen Theologie (München)   *BFChTh* Beiträge zur Förderung christlicher Theologie (Gütersloh) *BGE* Beiträge zur Geschichte der biblischen Exegese (Tübingen) *BHH* Biblisch-Historisches Handwörterbuch (Göttingen) *BHTh* Beiträge zur historischen Theologie (Tübingen) *Bibl* Biblica (Roma) *BibOr* Bibbia e Oriente (Fossano, Cuneo) *BiKi* Bibel und Kirche (Stuttgart) *BiLe* Bibel und Leben (Düsseldorf) *Bill* (H. L. Strack-)P. Billerbeck, Kommentar zum Neuen Testament aus Talmud und Midrasch (München) *BiViChr* Bible et Vie Chrétienne (Maredsous) *BL* Bibel-Lexikon (Einsiedeln, Zürich und Köln) *BM* Benediktinische Monatsschrift (Beuron) *BMonts* La Biblia, Versio dels textos originals i Commentari dels monjos de Montserrat (Montserrat) *BMRT* Bible and Modern Religious Thought (London) *BPC* La Sainte Bible par Louis Pirot et A. Clamer (Paris) *BSt* Biblische Studien (Freiburg i. Br., Münster) *BTh* Bibliothèque de Théologie (Paris, Tournai, Rom, New York) *BThZ* Berliner Theologische Zeitschrift (Berlin) *BZ* Biblische Zeitschrift (Freiburg i. Br., Paderborn) *BZfr* Biblische Zeitfragen (Münster i. W.) *CBL* Calwer Bibellexikon (Stuttgart) *CBQ* The Catholic Biblical Quarterly (Washington) *ChH* Church History (Scottdale, New York, Chicago) *CN* Coniectanea Neotestamentica (Lund) *DBS* Dictionnaire de la Bible, Supplément (Paris) *DThC* Dictionnaire de Théologie Catholique (Paris) *DV* Dieu Vivant (Paris) *EB* Etudes Bibliques (Paris) *EE* Estudios Eclesiásticos (Madrid) *EGT* Expositor's Greek Testament (London) *EKL* Evangelisches Kirchenlexikon, Kirchlich-theologisches Handwörterbuch (Göttingen) *EphMar* Ephemerides Mariologicae (Madrid) *EStB* Estudios Bíblicos (Madrid) *ET* The Expository Times (Edinburgh) *EThL* Ephemerides Theologicae Lovanienses (Louvain, Bruges) *EvTh* Evangelische Theologie (München) *Exp* The Expositor (London) *FF* Forschungen und Fortschritte (Berlin) *FRLANT* Forschungen zur Religion und Literatur des Alten und Neuen Testaments (Göttingen) *HBK* Herders Bibelkommentar, Die Heilige Schrift für das Leben erklärt (Freiburg i. Br.) *HC* Hand-Commentar zum Neuen Testament (Freiburg i. Br., Leipzig, Tübingen) *HibJ* The Hibbert Journal, A Quarterly Review of Religion, Theology and Philosophy (London) *HNT* Handbuch zum Neuen Testament (Tübingen) *Hochland* Hochland, Monatsschrift für alle Gebiete des Wissens, der Literatur und Kunst (Kempten) *HSNT* Die Heilige Schrift des Neuen Testaments übersetzt und erklärt, hrsg. v. Fritz Tillmann (Bonn) *HThR* The Harvard

Theological Review (Cambridge, Mass.) *JAs* Journal Asiatique (Paris) *JBL* Journal of Biblical Literature and Exegesis (Philadelphia) *ICC* The International Critical Commentary of the Holy Scriptures of the Old and New Testament (Edinburgh) *IER* The Irish Ecclesiastical Record (Dublin, Maynooth) *IliffR* Iliff Review (Denver, Col.) *IntB* The Interpreter's Bible, The Holy Scriptures in the King James and Revised Standard Versions (New York) *Interpr* Interpretation, A Journal of Bible and Theology (Richmond, Va.) *JPOS* The Journal of the Palestine Oriental Society (Leipzig, Jerusalem) *JR* The Journal of Religion (Chicago) *JStJud* Journal for the Study of Judaism in the Persian, Hellenistic, and Roman Periods (Leiden) *JThCh* Journal for Theology and the Church (New York) *JThS* The Journal of Theological Studies (Oxford, London) *KNT* Kommentar zum Neuen Testament, hrsg. von Theodor Zahn (Leipzig, Erlangen) *Latomus* Latomus, Revue d'Etudes Latines (Bruxelles) *LAW* Lexikon der Alten Welt (Zürich, Stuttgart) *LD* Lectio Divina (Paris) *LL* Liturgisches Leben (Berlin) *LR* Lutherische Rundschau (Stuttgart) *LThK* Lexikon für Theologie und Kirche (Freiburg i. Br.) *LW* Lutheran World (Genf) *MaisD* La Maison-Dieu (Paris) *MeyerK* Kritisch-exegetischer Kommentar über das Neue Testament, begr. von Heinrich August Wilhelm Meyer (Göttingen) *MGWJ* Monatsschrift für Geschichte und Wissenschaft des Judentums (Frankfurt a. M.) *Moffatt NTC* The Moffatt New Testament Commentary (London, New York) *NedThT* Nederlands Theologisch Tijdschrift (Wageningen) *NovTest* Novum Testamentum (Leiden) *NRTh* Nouvelle Revue Théologique (Louvain) *NTA* Neutestamentliche Abhandlungen (Münster i. W.) *NTD* Das Neue Testament Deutsch (Göttingen) *NThT* Nieuw Theologisch Tijdschrift (Haarlem) *NTS* New Testament Studies (Cambridge) *NTT* Norsk Teologisk Tidsskrift (Oslo) *Numen* Numen, International Review for the History of Religions (Leiden) *ObrhPastBl* Oberrheinisches Pastoralblatt (Freiburg i. Br.) *ÖR* Ökumenische Rundschau (Stuttgart) *PB* Pastor Bonus (Trier) *PW* A. Pauly-G. Wissowa, Real-Encyclopädie der klassischen Altertumswissenschaft, Neue Bearbeitung (Stuttgart) *RA* Revue Archéologique (Paris) *RB* Revue Biblique (Paris) *RBelgPhH* Revue Belge de Philologie et d'Histoire (Bruxelles) *RClIt* Rivista del Clero Italiano (Milano) *RE* Realencyklopädie für protestantische Theologie und Kirche (Leipzig)   *RechBib* Recherches Bibliques (Louvain)   *RechSR* Recherches de Science Religieuse (Paris)   *REL* Revue des Etudes Latines (Paris)   *RevBibl* Revista Biblica (La Plata)   *RevSR* Revue des Sciences Religieuses (Strasbourg)   *RevUB* Revue de l'Université de Bruxelles (Bruxelles)   *RGG* Die Religion in Geschichte und Gegenwart, Handwörterbuch für Theologie und Religionswissenschaft (Tübingen)   *RH* Revista de Historia (Mendoza)   *RHPhR* Revue d'Histoire et de Philosophie Religieuses (Strasbourg)   *RHR* Revue de l'Histoire des Religions (Paris)   *RivBiblIt* Rivista Biblica Italiana (Brescia)   *RNT* Das Neue Testament übersetzt und kurz erklärt (Regensburg)   *RQ* Römische Quartalschrift für christliche Altertumskunde und für Kirchengeschichte (Freiburg i. Br.)   *RThom* Revue Thomiste (Paris, Toulouse, Bruxelles)   *RV* Religionsgeschichtliche Volksbücher (Tübingen)   *SacPag* Sacra Pagina, Miscellanea Biblica, Bibliotheca EThL (Paris, Gembloux)   *SAH* Sitzungsberichte der Heidelberger Akademie der Wissenschaften, Phil.-Hist. Klasse (Heidelberg)   *SAW* Sitzungsberichte der Akademie der Wissenschaften in Wien, Phil.-Hist. Klasse (Wien)   *SBM* Stuttgarter Biblische Monographien (Stuttgart)   *SEÅ* Svensk Exegetisk Årsbok (Uppsala)   *SelT* Selección de Teologia (San Cugat del Vallés, Barcelona)   *SemEspT* Semana Española de Teologia (Madrid)   *SNT* Die Schriften des Neuen Testaments neu übersetzt und für die Gegenwart erklärt (Göttingen)   *ST* Studia Theologica (Oslo)   *StNS* Studia Neotestamentica Subsidia (Paris, Bruges)   *StNT* Studien zum Neuen Testament (Gütersloh)   *Tabor* Tabor, Rivista di Vita Spirituale (Roma)   *TAik* Teologinen Aikakauskirja (Helsinki)   *ThBl* Theologische Blätter (Leipzig)   *ThGl* Theologie und Glaube, Zeitschrift für den katholischen Klerus (Paderborn)   *ThHK* Theologischer Handkommentar zum Neuen Testament (Leipzig)   *ThJ* Theologische Jahrbücher (Leipzig)   *ThLZ* Theologische Literaturzeitung (Leipzig, Berlin)   *ThQ* (Tübinger)Theologische Quartalschrift (Tübingen, Augsburg, Stuttgart)   *ThR* Theologische Rundschau (Tübingen)   *ThSt* Theological Studies (Baltimore, Woodstock)   *ThStKr* Theologische Studien und Kritiken (Gotha)   *ThViat* Theologia Viatorum, Jahrbuch der Kirchlichen Hochschule Berlin (Berlin)   *ThZ* Theologische Zeitschrift (Basel)   *TLond* Theology (London)   *TThS* Trierer Theologische Studien (Trier)   *TU* Texte und Untersuchungen zur Geschichte der altchristlichen Literatur (Leipzig, Berlin)   *UARG* Untersuchungen zur allgemeinen Religionsgeschichte (Bonn)   *VD*

Verbum Domini (Roma)   *VigChr* Vigiliae Christianae (Amsterdam)   *VS* Verbum Salutis (Paris)   *WMANT* Wissenschaftliche Monographien zum Alten und Neuen Testament (Neukirchen-Vluyn)   *ZE* Zeitschrift für Ethnologie (Berlin)   *ZKTh* Zeitschrift für Katholische Theologie (Wien, Innsbruck)   *ZNW* Zeitschrift für die neutestamentliche Wissenschaft und die Kunde der älteren Kirche (Gießen, Berlin)   *ZSTh* Zeitschrift für systematische Theologie (Gütersloh)   *ZThK* Zeitschrift für Theologie und Kirche (Tübingen)   *ZWTh* Zeitschrift für wissenschaftliche Theologie (Jena, Halle, Leipzig, Frankfurt a. M.).

I. FORSCHUNGSGESCHICHTLICHER LÄNGSSCHNITT: DIE AUSLEGUNG DER JOHANNESAPOKALYPSE SEIT 1700

1. Das 18. Jahrhundert

Als die rationalistischen Theologen des 18. Jahrhunderts ihr kritisches Interesse der Offenbarung des Johannes zuwandten, knüpften sie nicht an die reformatorisch-protestantische, sondern an die katholische, insbesondere jesuitische Auslegungstradition an.

Seit Luther hatte in der protestantischen Exegese des 16. und 17. Jahrhunderts die welt- und kirchengeschichtliche Erklärung der Johannesapokalypse geherrscht; Lutheraner, Reformierte und Anglikaner deuteten die Visionen der Apokalypse auf Ereignisse der Welt- und Kirchengeschichte der reformatorischen und nachreformatorischen Zeit. Der Antichrist wurde mit dem Papsttum, seine Anhänger mit den Katholiken gleichgesetzt, beispielsweise im ›Antipseudirenicon apocalypticum‹ des *Zacharias Hogelius* (Stettin 1647).

Solcher Polemik begegneten die katholischen Gelehrten seit etwa 1600, indem sie die Apokalypse sowohl endgeschichtlich – auf die eschatologische Verherrlichung der Kirche – als auch vor allem zeitgeschichtlich – auf den Kampf der Kirche mit Judentum und Heidentum zur Zeit des Apokalyptikers – deuteten (*Robert Bellarmini*, 1586/93; *Francisco de Ribera*, 1591; *Luis de Alcazar*, 1614; *Cornelius a Lapide*, 1625; *Johann Stephan Menochius*, 1630). Richtungweisend wirkte insbesondere *Luis de Alcazar* (1554–1613), der als erster die zeitgeschichtliche Auslegungsmethode konsequent anwandte; von ihm ist sowohl der Kalvinist *Hugo Grotius* (1583–1645) als auch der

Katholik *Jacques-Bénigne Bossuet* (1627–1704) unmittelbar abhängig.

a) Kritisch-zeitgeschichtliche Auslegung I

Die Erkenntnis, für die Visionen der Johannesapokalypse nach Hintergründen in Leben und Zeit ihres Autors suchen zu müssen (zeitgeschichtliche Methode), verdankt Hugo Grotius, der als Späthumanist in seiner Kommentierung (1644) ganz bewußt auf jeglichen Konfessionalismus verzichtet, ohne Zweifel dem Kommentar des Luis de Alcazar (1614). An die nüchternen, von erstaunlichem historischem und literarkritischem Verständnis zeugenden Untersuchungen des Hugo Grotius schließen sich die rationalistischen Exegeten des 18. Jahrhunderts an.

Da ist zunächst *Firmin Abauzit* (1679–1767) zu nennen, dessen ›Discours historique‹ (1730; III Nr. 1) die Apokalypse als umfangreiche, unter Nero entstandene Paraphrase von Mk 13 parr. erklärt. Wie die ihr zugrunde liegende Weissagung Jesu handle die Johannesoffenbarung nicht vom Ende des römischen, sondern von demjenigen des jüdischen Staates; alle zeitgeschichtlichen Anspielungen interpretiert Abauzit konsequent auf Jerusalem und die jüdische Geschichte vor 70 n. Chr. Zeitgeschichtlich deutet auch *Johann Salomo Semler* (1725–1791) die Johannesoffenbarung (1776; III Nr. 427 f.); als erster Exeget der Neuzeit spricht er die Apokalypse dem Apostel Johannes ab. In Vorwegnahme moderner religionsgeschichtlicher Erkenntnisse bestimmt er als den Hintergrund der Johannesoffenbarung die „jüdisch-chiliastische Schwärmerei", also die national-politische Eschatologie der jüdischen Apokalyptik; zugleich verweist er auf die antirömische Frontstellung der Apokalypse.

Auch *Johann Gottfried Herder* (1744–1803) bedient sich der zeitgeschichtlichen Deutung. Abhängig von Abauzit, führen Herders Untersuchungen von 1778/79 (III Nr. 207 f.) jedoch insofern weiter, als sie den dichterischen Wert der Johannesoffenbarung betonen, die Herder definiert als „Bilderbuch vom Ausgang, Sichtbarkeit und Zukunft vom Reiche Christi in Bildern und Gleichnissen seiner ersten schrecklich tröstenden Ankunft". Christus und die Apostel ordnet Herder ein in die Tradition des alttestamentlich-jüdischen Prophetismus, mit dessen Sprache er diejenige der Apokalypse vergleicht. So überwindet der Autor der ›Stimmen der Völker in Liedern‹ (1778/79) die nüchterne, auf Bestreitung der Apostolizität fixierte Auslegung des Rationalismus durch eine intuitive Erfassung der poetischen und nationalen Eigenart judenchristlicher Prophetie. Für die zeitgeschichtliche Interpretationsmethode tritt auch *Johann S. Herrenschneider* (1786) ein, dessen ›Tentamen apocalypseos‹ (III Nr. 209) die Johannesoffenbarung gegen Nero und das römische Reich gerichtet sein läßt. Von Herrenschneider ist *Johann Gottfried Eichhorn* (1752–1827) abhängig, der in seinem gelehrten Kommentar von 1791 (III Nr. 135) die Weissagungen der Apokalypse auf das römische Reich bezieht; das verwundete Haupt ist ihm Nero redivivus (Apk 13, 3), die zehn Hörner bedeuten die Parther (Apk 13, 1; 17, 12). Aus zeitgeschichtlichen Gründen bestreitet Eichhorn Apostolizität und Kanonizität der Johannesoffenbarung (III Nr. 136).

b) Welt- und kirchengeschichtliche Auslegung I

Freilich ist die kritische Auslegung der Apokalypse durch die an Grotius anknüpfenden rationalistischen Exegeten Abauzit, Semler, Herder, Herrenschneider und Eichhorn, welche die apostolische Verfasserschaft durchweg bestreiten und eine zeitgeschichtliche Deutung vertreten, nicht die einzige im 18. Jahrhundert herrschende. Parallel mit ihr entfaltet sich eine Erneuerung der Rekapitulationstheorie und des Chiliasmus, die letztlich an *Viktorin von Pettau* († um 304 n. Chr.) anknüpft und den protestantischen Kommentatoren des 18. Jahrhunderts durch den reformierten Theologen *Johannes Coccejus* (1603 bis 1669) vermittelt wird (1668).

Zufolge der Rekapitulationstheorie beschreiben die Visionsreihen der jeweils sieben Siegel, Posaunen und Zornschalen nicht

3

aufeinanderfolgende geschichtliche Ereignisse in der Reihenfolge der Kapitel des Apokalypsebuches, sondern in parallelen, jeweils neu einsetzenden „Rekapitulationen" dieselben Stationen des eschatologischen Dramas. Solche – traditionsgeschichtlich nicht einmal abwegige – Auslegung hatte Coccejus mit einer originellen, welt- und kirchengeschichtlichen Deutung der sieben Sendschreiben verbunden; in den Briefen an die sieben kleinasiatischen Gemeinden sieht er Weissagungen auf sieben Phasen der Kirchengeschichte, wobei Thyatira die Zeit der antichristlichen Herrschaft des Papstes und Sardes die Reformationszeit bedeuten sollen. Für Coccejus ist das tausendjährige Reich, das mit Konstantin begonnen habe, bereits Vergangenheit.

Dagegen tritt *Campegius Vitringa* (1659–1722) im Jahre 1705 (III Nr. 471) als erster protestantischer Exeget für eine zukünftige Deutung des Millenniums ein; der reformierte Niederländer wird damit zum Begründer eines neuen Chiliasmus, der besonders den deutschen Pietismus prägen sollte. Im übrigen übernimmt Vitringa von Coccejus die Rekapitulationstheorie, versteht wie dieser die Kirchengeschichte als Erfüllung der Weissagungen der Apokalypse und fordert zugleich zeitgeschichtliche, am Wortsinn orientierte Exegese.

Dieselbe Verbindung von Rekapitulationstheorie, kirchengeschichtlicher Deutung und neuem Chiliasmus wie bei Vitringa findet sich auch bei dem Hallenser Pietisten *Joachim Lange* (1670–1744). In seiner ›Oeconomia salutis‹ (1728; III Nr. 263) und dann in seiner ›Einleitung‹ (1738; III Nr. 264), die über die Johannesoffenbarung in die alttestamentlichen Propheten einführen will, deutet Lange Apk 1–3 als kirchengeschichtliche Weissagung, Apk 4–22 dagegen endgeschichtlich-chiliastisch auf den Anbruch des Millenniums.

Auch der schwäbische Pietist *Johann Albrecht Bengel* (1687 bis 1752) kombiniert in seiner Auslegung der Johannesapokalypse kirchengeschichtliche und chiliastische Deutung; sowohl seine ›Erklärte Offenbarung Johannis‹ ([1]1740; III Nr. 29) als auch der berühmte ›Gnomon‹ ([1]1742; III Nr. 30) erlebten große Verbreitung und zahlreiche Auflagen. Der Grund für die bis weit ins 19. Jahrhundert hinein andauernde Wirkung der Bengelschen Apokalypsedeutung liegt einerseits in der Konkretheit ihrer kirchengeschichtlichen Identifikationen; in Apk 14, 6.8 erkennt Bengel Johann Arndt und Philipp Jakob Spener, während das erste Tier (Apk 13, 1–10) den Papst vorstellt, dessen Zahl 666 (Apk 13, 18) chronologisch interpretiert wird. Vor allem aber hat Bengel seine Leser bewegt durch die scharfsinnigen Berechnungen, mit denen er den Anbruch des Millenniums auf den 18. 6. 1836 vorausbestimmte.

Nicht nur im pietistischen Protestantismus wird die Johannesoffenbarung mit Hilfe der Rekapitulationstheorie kirchengeschichtlich und chiliastisch ausgelegt, sondern auch im römischen Katholizismus des 18. Jahrhunderts. In Mainz erscheint 1785/86 das dreiteilige Werk eines angeblichen Engländers *Pastorini* (III Nr. 355), das von einem ungenannten Übersetzer aus dem Französischen (!) ins Deutsche übertragen sein will. In der Methode eher von Lange als von Bengel abhängig, parallelisiert der gelehrte Autor – möglicherweise Benediktiner – sorgsam die Siegel, Posaunen und Schalen und teilt danach die Kirchengeschichte in sieben Zeitalter ein, deren siebentes mitsamt dem tausendjährigen Reich noch aussteht. Aus der konsequenten Anwendung der Rekapitulationstheorie ergeben sich zahlreiche Umstellungen des Textes der Apokalypse. Der Tenor des kirchengeschichtlichen Kommentars ist dezidiert römisch und antiprotestantisch; der gestürzte Stern von Apk 9, 1–11 wird mit Martin Luther gleichgesetzt. Die Zahl 666 (Apk 13, 18) freilich soll einen Feind des Christentums schlechthin bezeichnen: Mohammed (MAOMETIΣ = 666).

Unmittelbar auf Methode und Chronologie des „seligen Prälaten Bengel" beruft sich der protestantische Pietist *Johann Heinrich Jung genannt Stilling* (1740–1817) in seiner „gemeinnützigen Erklärung der Offenbarung Johannis", die er absichtsvoll als ›Siegsgeschichte der christlichen Religion‹ betitelt (1799; III Nr. 238). Jung-Stilling, Augenarzt, Kameralist und Heidelberger Hofrat, wird von den politischen Ereignissen des ausgehenden 18. Jahrhunderts zu eschatologisch-apokalyptischen

Spekulationen veranlaßt; mit Bengel sieht er in der Johannes-offenbarung Weissagungen auf welt- und kirchengeschichtliche Ereignisse. Das Tier von Apk 13 ist zufolge Jung-Stilling das Papsttum als der „Adjutant des Satans"; Drache, erstes und zweites Tier (Apk 12 f.) bilden die „satanische Dreieinigkeit" aus Satan, Papsttum und Heidentum. Die Sonnenfrau von Apk 12 stellt die Herrnhuter Brüdergemeine vor, während die Zahl 666 mit Bengel chronologisch gedeutet wird, nämlich auf die Regierungszeit von 111 Päpsten. Seit 1798 sitzt die Hure Babylon auf dem Thron (Apk 17, 9 f.). In einem ›Nach-trag zur Siegsgeschichte‹ (1805; III Nr. 239) aktualisiert Jung-Stilling seine welt- und kirchengeschichtliche Auslegung der Apokalypse; die Französische Revolution von 1789 ist ihm die Ausgießung der ersten Zornschale (Apk 16, 2). Den Antichrist, das Tier aus dem Abgrund, beschreibt er als Naturalisten, Atheisten, Freigeist und Soldaten, also mit Zügen Napoleons, ohne ihn direkt mit diesem zu identifizieren. Den Anbruch des Millenniums erwartet auch Jung-Stilling, nach Bengel, für das Jahr 1836; wie Bengel, so hat auch er die Enttäuschung über die Fehlberechnung nicht mehr erleben müssen.

2. Das 19. Jahrhundert

Die beiden Auslegungstendenzen des 18. Jahrhunderts, die kritisch-zeitgeschichtliche einerseits und die welt- bzw. kirchen-geschichtlich-chiliastische andererseits, leben mit leichten Modi-fikationen im 19. Jahrhundert fort. In der ersten Jahrhundert-hälfte dominiert die jüngere zeitgeschichtliche Exegese (Bleek, Lücke, de Wette, Ewald, Volkmar), übrigens auch im katholi-schen Bereich (Waibel). Dann, seit Hofmann (1844), erringt noch einmal die welt- und kirchengeschichtliche Auslegung (Hengstenberg, Ebrard, Harms) mit ihren Filiationen der reichs- und endgeschichtlichen Methode (u. a. Auberlen, Klie-foth) das Übergewicht. Im letzten Drittel des Jahrhunderts schließlich greift die traditionsgeschichtliche Methode mit ihren

Versuchen der Quellenscheidung (u. a. Völter, Weyland, Spitta) auf die kritisch-zeitgeschichtliche Auslegung zurück; mit ihren Kriterien zur Bestimmung einzelner Quellen leitet sie über zur religionsgeschichtlichen Exegese des frühen 20. Jahrhunderts. Den Stand der katholischen Forschung vor der Jahrhundertwende repräsentiert Tiefenthal, der auf konservativer Grundlage eine zurückhaltend welt- und kirchengeschichtliche Auslegung mit traditions- und zeitgeschichtlichen Fragestellungen zu verbinden weiß.

a) Kritisch-zeitgeschichtliche Auslegung II

In Fortsetzung der kritischen Exegese der Johannesoffenbarung etwa durch Herrenschneider und Eichhorn und in bewußtem Gegensatz zu kirchengeschichtlich-chiliastischen Deutungsversuchen (Bengel, Jung-Stilling) unterzieht *Friedrich Bleek* (1793–1859) in seinem ›Beitrag‹ (1820; III Nr. 42) und in seinen 1862 posthum herausgegebenen Vorlesungen (III Nr. 43) die Johannesapokalypse einer zeitgeschichtlichen Untersuchung. Als Kontrahenten des Apokalyptikers weist Bleek das Imperium Romanum und Kaiser Nero auf.

Als Vater der modernen Auslegung der Johannesoffenbarung aber hat *Friedrich Lücke* (1791–1855) zu gelten. Sein 1832 erschienener Kommentar (III Nr. 283) ordnet die Johannesapokalypse in die apokalyptisch-jüdische Literatur seit Ezechiel und Daniel ein und kommt so zu einer objektiveren Würdigung, als sie dem rationalistischen Kritizismus möglich gewesen war. Den von *Karl Immanuel Nitzsch* (1787–1868) im Jahre 1820 geprägten Begriff „Apokalyptik" (III Nr. 339) führt Lücke in die neutestamentliche Exegese ein; er bezeichnet damit diejenige jüdische Literatur seit Daniel (vor allem den 4. Esra und den äthiopischen Henoch), an die sich die Johannesapokalypse formal und inhaltlich anschließt. Wie Bleek bezieht auch Lücke die zeitgeschichtlich deutbaren Visionen des Apokalyptikers auf Rom und Nero.

Der traditions- und zeitgeschichtlichen Methode bedient sich auch der katholische Exeget *Alois Adalbert Waibel* (1787–1852); trotz seiner engagierten Polemik gegen die antipapale Tendenz der älteren protestantischen Apokalypseauslegung (vgl. noch Jung-Stilling) ist sein Buch (1834; III Nr. 482) frei von römisch-katholischen Konfessionalismen; die Sonnenfrau von Apk 12 ist nicht Maria, sondern die judenchristliche Gemeinde aus den zwölf Stämmen (nach Gen 37,9).

Von protestantischen Auslegern der Johannesoffenbarung in der Nachfolge Bleeks und Lückes seien noch *Wilhelm Martin Leberecht de Wette* (1780–1849) mit seiner ›Kurzen Erklärung‹ (1848; III Nr. 489), *Heinrich Georg August Ewald* (1803 bis 1875) mit seinen Kommentaren von 1828 (III Nr. 139) und 1862 (III Nr. 140), *Friedrich Düsterdieck* (1822–1906) mit der ersten Bearbeitung in H. A. W. Meyers Kritisch-exegetischem Kommentar ([1]1859; III Nr. 132) sowie *Gustav Volkmar* (1809 bis 1893) mit einem 1862 erschienenen Kommentar (III Nr. 481) genannt. Sowohl de Wette, der Lehrer Friedrich Bleeks, als auch Ewald und Volkmar deuten die Johannesapokalypse zeitgeschichtlich auf den Widerstand gegen Rom und die Verteufelung Neros; Düsterdieck erkennt zwar gleichfalls das Imperium Romanum als den Inhalt zahlreicher Visionen der Apokalypse, lehnt jedoch die Beziehung auf Nero redivivus ab.

b) Welt- und kirchengeschichtliche Auslegung II

Mit dem Erstarken der konfessionell-protestantischen Orthodoxie um die Mitte des 19. Jahrhunderts kommt noch einmal die welt- und kirchengeschichtliche Methode zum Zuge. In ihrem Eifer gegen die Rationalisten vereinen sich Lutheraner wie Hengstenberg und Harms mit Kalvinisten wie Ebrard; die Naivität der antirömischen Polemik (Ebrard, Harms) und der welt- bzw. kirchengeschichtlichen Identifikationen steht den Auslegungen eines Bengel oder Jung-Stilling in nichts nach – ein auffälliger Anachronismus nach den nüchternen Erkenntnissen etwa Eichhorns und Lückes.

Ernst Wilhelm Hengstenberg (1802–1869), orthodoxer Lutheraner, zugleich führender Vertreter der Erweckungsbewegung, bekämpft die Rationalisten und ihre historische Kritik, indem er auf die Methoden der Pietisten vor 1800 zurückgreift. Freilich ist für ihn das tausendjährige Reich schon vorüber; es hat von der Bekehrung der Germanen bis zum Ende des alten deutschen Reichs (1806) gewährt. Den Aufstand von Gog und Magog (Apk 20, 7–10) sieht Hengstenberg verwirklicht in der *Demagogie* der Revolutionäre von 1848; sein Kommentar (III Nr. 206) ist 1849/50 erschienen!

Kaum anders als der Lutheraner Hengstenberg legt der Reformierte *Johann Heinrich August Ebrard* (1818–1888) die Johannesoffenbarung aus (1853; III Nr. 133); er hält an der antipapalen Deutung des 18. Jahrhunderts fest und findet welt- und kirchengeschichtliche Ereignisse in der Apokalypse geweissagt. Zugleich vertritt Ebrard in Ansätzen schon die endgeschichtliche Deutung, die dann konsequent zuerst von Kliefoth entfaltet wird.

Ein dubioses Werk ist die Auslegung der Apokalypse durch *Ludwig (Louis) Harms* (1808–1865), posthum herausgegeben vom Bruder des Autors, *Theodor Harms* (1873; III Nr. 200). Die Methode ist die welt- und kirchengeschichtliche, doch verblüfft die Begrenztheit des Horizonts. Konnte Hengstenberg das tausendjährige Reich wenigstens noch mit der Geschichte des deutschen Kaiserreichs gleichsetzen, so endet für Harms die Welt an den Grenzen Hannovers. Wenn man Theodor Harms (1819–1885) glauben darf, ist das vor 1865 entstandene Manuskript nicht verändert worden; der „prophetische" Autor hat die Entthronung der Welfen (1866) aus der Johannesoffenbarung herausgelesen. Die Harmsschen Ausführungen sind eine in die Apokalypse eingetragene, lutherisch-konfessionalistische, antikatholische, monarchistische, antidemokratische, welfische, antipreußische, antifranzösische Zeit-, Gesellschafts- und Zivilisationskritik von erschreckender Borniertheit: Das dekadische System (zu Apk 13, 1) gilt als teuflische Erfindung der Franzosen, die Errichtung des Hermannsdenkmals im Teutoburger

Wald und des Lutherdenkmals in Worms als Götzendienst, die Sonnenfrau als die verfolgte, einzig wahre Kirche der Lutheraner.

c) Reichsgeschichtliche Auslegung

Schon 1844 hatte der Lutheraner *Johann Christian Konrad Hofmann* (1810–1877) im Rahmen seines ›theologischen Versuchs‹ über ›Weissagung und Erfüllung‹ (III Nr. 219) die Johannesoffenbarung nach einer Methode gedeutet, die zwar von der welt- und kirchengeschichtlichen Auslegung herkommt, aber doch deutlich neue Wege geht. In seinem zweibändigen Werk ›Der Schriftbeweis‹ (Bd. II, Nördlingen ²1860, S. 664 ff.) hat Hofmann die neue, „reichsgeschichtliche" Methode weiter entfaltet und begründet. Nicht ohne Anleihen bei der Rekapitulationstheorie und einer „verschämt kirchengeschichtlichen Auffassung" (Bousset), kann Hofmann gleichwohl auf die Identifikation historischer Details mit Visionen der Johannesoffenbarung verzichten; vielmehr ist er bemüht, das Typische an den Aussagen des Apokalyptikers herauszustellen und auf die Geschichte des Reiches Gottes zu beziehen.

Ganz ähnlich legt *Carl August Auberlen* (1824–1864) die Apokalypse aus, die er durchgängig mit dem Danielbuch vergleicht (¹1854; III Nr. 5). An die Stelle willkürlicher Beziehung geschichtlicher Einzelheiten auf beliebige Aussagen der Johannesoffenbarung ist Gottes heilsgeschichtlicher Plan getreten, in dessen Zusammenhang Gestalten und „Hauptwendepunkte" der Geschichte des Gottesreichs gesehen werden müssen.

d) Endgeschichtliche Auslegung

Einen Schritt über die reichsgeschichtliche Exegese Hofmanns und Auberlens hinaus führt die endgeschichtliche Methode, die zum ersten Male von dem Lutheraner *Theodor Kliefoth* (1810 bis 1895) konsequent angewendet wird (1874; III Nr. 249).

Die endgeschichtliche Auslegung verzichtet gänzlich auf die kirchengeschichtliche Deutung; sie benutzt die Johannesoffenbarung als Schriftgrundlage für eschatologische Hoffnung und Paränese der Gegenwart: Wir leben in der Endzeit und warten auf den Anbruch der von Johannes geweissagten Heilszeit.

Auch *Carl Heinrich August von Burger* (1805–1884), Lutheraner wie Kliefoth, unterwirft die Apokalypse der endgeschichtlichen Auslegungsmethode (1877). Aber erst *Johann Tobias Beck* (1804–1878) steigert das eschatologische Interesse der endgeschichtlichen Erklärung zu einem neuen Chiliasmus. In dem von seinem Schwiegersohn Julius Lindenmeyer 1884 posthum herausgegebenen Kommentarfragment (III Nr. 25) rechnet der „realistisch-biblische Theologe" und Tübinger Professor, vom schwäbischen Pietismus beeinflußt, mit dem nahen Anbruch des Millenniums; die Heilsgeschichte wird am Ende der Zeit in die Christokratie einmünden.

e) Traditionsgeschichtliche und literarkritische Auslegung

Eine neue Epoche der Apokalypseauslegung beginnt mit den Veröffentlichungen *Daniel Völters* (1855– nach 1931); in immer neuen Ansätzen, stets bereit, früher Behauptetes zu revidieren, führt der gelehrte Autor – gebürtiger Schwabe und Professor in Amsterdam – seit 1882 seine literarkritische Behandlung der Johannesoffenbarung vor (III Nr. 476–479). Obgleich Lutheraner, knüpft er mit seiner quellenscheidenden Analyse eher an die rationalistische Kritik des 18. Jahrhunderts an; ähnlich seiner berühmt-berüchtigten Erklärung der Paulusbriefe rechnet Völter auch bei der Johannesoffenbarung mit einem vielschichtigen Veränderungs- und Erweiterungsprozeß im Verlaufe der altkirchlichen Ketzerbekämpfung. Der aufkommenden religionsgeschichtlichen Forschung begegnet er skeptisch, und die Vischersche These von einer ursprünglich jüdischen Grundschrift der Johannesoffenbarung (1886; III Nr. 469) bestreitet er mit maßloser, überheblicher, bewußt beleidigender Polemik (III Nr.

11

477). Gleichwohl verdienen Völters Beobachtungen an verschiedenen Komplexen der Apokalypse noch heute Beachtung (vgl. Günther Harder: III Nr. 199).

Dagegen liegt bei *Carl (Heinrich) Weizsäcker* (1822–1899) bereits eine Erklärung der Johannesoffenbarung vor, die noch immer ohne wesentliche Einschränkungen vor der modernen Exegese bestehen kann. In seinem Buch über ›Das apostolische Zeitalter der christlichen Kirche‹ ([1]1886; III Nr. 487) gibt Weizsäcker auf der Basis vorsichtiger Quellenscheidung einen besonnenen Überblick über die Hauptprobleme der Apokalypse. Im Gegensatz zu Völter rechnet Weizsäcker nicht mehr mit späteren Erweiterungen einer christlichen Grundschrift, sondern mit der Verarbeitung älterer, z. T. jüdischer Quellen durch den christlichen Apokalyptiker. Zeitgeschichtliche Erwägungen verweisen auf Rom und Nero redivivus; sie erlauben keine frühere zeitliche Ansetzung als unter Domitian.

In seiner unter Leitung Adolf von Harnacks entstandenen Dissertation ([1]1886; III Nr. 469) vertritt *Eberhard Vischer* (1865–1946) die These, die Johannesoffenbarung sei eine ursprünglich jüdische, erst nachträglich christianisierte Schrift. Das Buch, dem Vischers Promotor ein Nachwort beigesteuert hat, rief die erbitterte Gegnerschaft Völters auf den Plan; dennoch haben Vischers Untersuchungen des jüdischen Hintergrunds zumindest für die vom Apokalyptiker verarbeiteten Quellen ihre Bedeutung behalten (vgl. 1947/48 J. H. Michael, III Nr. 298). Mit einer jüdischen Textvorlage der Johannesapokalypse rechnet 1887/88 auch der französische reformierte Theologe *Auguste Sabatier* (1839–1901; III Nr. 399).

Quellenscheidungs- und Kompilationshypothesen nach literarkritischen und traditionsgeschichtlichen Gesichtspunkten bestimmen in den nächsten Jahren die Apokalypseforschungen der protestantischen Gelehrten *Gerard Johan Weyland* (1860–1935; 1888; III Nr. 491), *Friedrich Spitta* (1852–1924; 1889 und 1907; III Nr. 438 f.), *Heinrich Julius Holtzmann* (1832–1910; 1891; III Nr. 221) und *Johannes Weiß* (1863–1914; 1904 und 1907; III Nr. 485 f.).

f) Katholische Auslegung am Ende des Jahrhunderts

Die in der katholischen Exegese an der Wende zum 20. Jahrhundert übliche wissenschaftliche Auslegung der Apokalypse vertritt der zu Unrecht weitgehend vergessene Kommentar (1892; III Nr. 457) des Benediktiners *Franz Sales Tiefenthal* (1840–1917). Sehr viel weniger kritisch als noch Alois Adalbert Waibel (1834; III Nr. 482), hält Tiefenthal an der Autorschaft des Apostels Johannes fest und will von Quellenscheidungen nichts wissen. Aus der kirchengeschichtlichen Methode übernimmt er die Deutung des tausendjährigen Reiches auf eine Geschichtsperiode der Vergangenheit; Tiefenthal zufolge liegen die tausend Jahre zwischen dem Tode Attilas (453 n. Chr.) und dem Falle Konstantinopels (1453).

Andererseits ist die Periodisierung der Kirchengeschichte mit Hilfe der Rekapitulationstheorie aufgegeben; die Visionen des Apokalyptikers werden zeitgeschichtlich auf den Untergang Roms gedeutet. Von protestantischen Auslegern hat besonders Hengstenberg (III Nr. 206) Tiefenthal beeinflußt. Der Kommentar Tiefenthals besticht durch umfassende Gelehrsamkeit und äußerste Sorgfalt; die exzellente Kenntnis sowohl biblischer als auch patristischer Belege macht ihn zu einer Fundgrube für jeden Ausleger der Johannesoffenbarung (vgl. etwa die Erklärung von Apk 13, 18, u. a. durch Esr 2, 13 und Neh 7, 18).

3. Das 20. Jahrhundert

a) Religionsgeschichtliche Auslegung I

Die traditionsgeschichtliche Auslegung nach Völter hatte sich damit begnügt, die Bilder und Vorstellungen der Johannesapokalypse über das Judentum ins Alte Testament zurückzuverfolgen. Zum ersten Male lenkt *Hermann Gunkel* (1862–1932) den Blick auf die heidnische Vorgeschichte der alttestamentlich-jüdischen „Mythologie"; in ›Schöpfung und Chaos‹ (¹1895; III

13

Nr. 188) zeigt er am Beispiel von Apk 12 (und Gen 1) den altorientalisch-babylonischen Hintergrund mythischer Stoffe der Bibel auf. Gunkels religionsgeschichtliche Untersuchung leidet unter der Einseitigkeit, mit der er die Möglichkeit zeitgeschichtlicher Deutung bestreitet.

Erst *Wilhelm Bousset* (1865–1920) verbindet in seinem bis heute maßgeblichen Kommentar ([1]1896, [2]1906; III Nr. 58) die religionsgeschichtliche Fragestellung Gunkels mit der traditionsgeschichtlich-literarkritischen und der zeitgeschichtlichen Deutung. Von umfassender Gelehrsamkeit und erdrückender Materialfülle, setzt Boussets Werk sich kritisch mit der gesamten älteren Literatur auseinander; es hat in H. A. W. Meyers Kritisch-exegetischem Kommentar bislang keinen Nachfolger gefunden. Bousset erkennt aus den Veränderungen der übernommenen Stoffe den apokalyptischen Autor bzw. Redaktor als individuelle Persönlichkeit; die Stellungnahmen Boussets zu Einzelproblemen der Apokalypseforschung sind jeweils aus unserem „exegetischen Querschnitt" (siehe unten II) zu ersehen.

In ähnlicher Weise wie Bousset deutet *Julius Wellhausen* (1844–1918) in einer scharfsinnigen ›Analyse‹ (1907; III Nr. 488) die Johannesapokalypse. Alttestamentler wie Gunkel, unternimmt Wellhausen religionsgeschichtliche Ableitungen und literarkritische Quellenscheidungen; er rechnet, beispielsweise für das Kapitel von der Sonnenfrau (Apk 12), mit jüdischen Textvorlagen.

b) Kritische Exegese der Angelsachsen

Bis ins 20. Jahrhundert hinein hatte die englischsprachige Exegese noch der welt- und kirchengeschichtlichen Auslegung der Apokalypse, teilweise auch chiliastischer Schwärmerei gehuldigt. Erst der britische Altphilologe *William Mitchell Ramsay* (1851–1939) führt mit seinem Buch über die sieben Sendschreiben ([1]1904; III Nr. 369) die zeitgeschichtliche Betrachtungsweise ein; zugleich versucht Ramsay, wissenschaftlich-kritische Exegese der Johannesoffenbarung mit religiös-kirchlichem Interesse zu verbinden.

Schließlich veröffentlicht *Robert Henry Charles* (1855–1931) im Jahre 1920 seinen monumentalen Kommentar (III Nr. 103), der auch die kontinentalen Untersuchungen zur Apokalypse gründlich berücksichtigt und aufarbeitet. In ihrer Kombination der traditionsgeschichtlichen und literarkritischen, der religions- und der zeitgeschichtlichen Methode stellt Charles' Auslegung die Apokalypseforschung der angelsächsischen Welt auf eine neue Grundlage. Ihre Schwäche liegt in der übersteigerten Quellenscheidung und in dem wenig glücklichen Versuch, einen rhythmisch-strophischen Aufbau der Apokalypse nachzuweisen (siehe unten II); ihre Stärke ist die Akribie der text- und literarkritischen Beobachtung, die umfassende Belesenheit des Autors und seine Offenheit für alle seriösen Auslegungsmethoden seiner Zeit.

c) Religionsgeschichtliche Auslegung II

Solche Offenheit blieb der deutschen Apokalypseforschung vorerst noch versagt. Zunächst führte man die religionsgeschichtliche Untersuchung intensiv weiter, wobei die zeitgeschichtliche Fragestellung vernachlässigt oder gar abgewiesen wurde. Hier ist vor allem der klassische Philologe *Franz Boll* (1867–1924) zu nennen, dessen 1914 erschienenes Buch ›Aus der Offenbarung Johannis‹ (III Nr. 51) den Auslegern der Apokalypse die Welt der antiken Astrologie und Astralmythologie erschloß. Boll konnte für viele Bilder und Vorstellungen der Johannesoffenbarung astrale Hintergründe aufzeigen, die er im heidnisch-hellenistischen Bereich entdeckte und in die altorientalische Mythologie zurückverfolgte; daß bereits das Judentum um die Zeitenwende solche astralmythologischen Stoffe hätte rezipiert haben können, sah Boll nicht.

Weniger einseitig, doch von ausschließlich religionsgeschichtlichem Interesse geleitet sind die Untersuchungen von *Carl Clemen* (1865–1940). Schon in seiner ›Religionsgeschichtlichen Er-

klärung des Neuen Testaments‹ (Gießen ¹1909, ²1924) hatte
Clemen auch zur Johannesoffenbarung zahlreiche religionsgeschichtliche Parallelen zusammengestellt, desgleichen in seiner
Untersuchung über ›Die Reste der primitiven Religion im ältesten Christentum‹ (Gießen 1916). Seit 1920 wendet er sich auch
monographisch den Problemen der Apokalypse zu (III Nr. 109
bis 112). Als Traditions- und Religionsgeschichtler bestreitet
Clemen die Erlebnisechtheit der Johannesoffenbarung (u. a. gegen Carl Schneider, III Nr. 418, und Werner Foerster, III Nr.
160; vgl. III Nr. 161).

Im Jahre 1926 legt schließlich *Ernst Lohmeyer* (1890–1946)
seinen Apokalypsekommentar im ›Handbuch‹ vor (III Nr. 275).
Das fleißige und gründliche Werk ist traditions- und religionsgeschichtlich ausgerichtet; auf zeitgeschichtliche Erklärung
wird so gut wie ganz verzichtet (vgl. unten II). Lohmeyers Versuch, einen rhythmischen Aufbau der Apokalypse nachzuweisen,
ist schwerlich gelungen. Die Einseitigkeit des traditionsgeschichtlichen Ansatzes hat zahlreiche Kritiker herausgefordert, u. a.
Hans Windisch (1929; III Nr. 496), Roland Schütz (1933; III
Nr. 419), Heinz-Dietrich Wendland (Geschichtsanschauung und
Geschichtsbewußtsein im Neuen Testament. Göttingen 1938)
und Martin Dibelius (1942; III Nr. 121). Lohmeyers Auslegung
der Johannesoffenbarung ist ein bedauerlicher Rückschritt gegenüber den Kommentaren von Bousset und Charles (III Nr.
58 und 103).

d) Noch einmal endgeschichtliche Auslegung

Fast ein Fossil im 20. Jahrhundert (1924/26; III Nr. 498) ist
der zweibändige Apokalypsekommentar des konservativen Er-
langer Lutheraners *Theodor Zahn* (1838–1933). Er setzt die
Reihe der reichs- und endgeschichtlichen Deutungen des 19. Jahrhunderts (siehe oben 2 c und d) fort; traditions- und zeitgeschichtliche Fragestellungen sind ihm vertraut, treten aber hinter dem eschatologischen Interesse zurück. Stets scharfsinnig und

eigenwillig, in der Beurteilung der theologischen Gegner nicht frei von Anmaßung, behält die umfangreiche Auslegung ihren Wert nicht zuletzt wegen der ausführlichen Forschungsgeschichte, aber auch wegen origineller exegetischer Arbeitshypothesen und Fragestellungen im einzelnen (etwa zu Apk 2, 20 f.: Isebel als Ehefrau des Bischofs von Thyatira). Das vernichtende Urteil Lohmeyers (III Nr. 277, 1934, S. 308: „für Kinderschulen vielleicht noch passend") wird dem hochgelehrten Werk ganz sicher nicht gerecht.

e) Verknüpfung der historisch-kritischen Methoden

Eine Bestandsaufnahme der protestantischen Apokalypseforschung stellt der nüchterne und besonnene Kommentar des Schweizers *Wilhelm Hadorn* (1869–1929) dar (1928; III Nr. 192). Das mit vorzüglichen Überblickskapiteln, u. a. zur Auslegungsgeschichte der Apokalypse, ausgestattete Werk hätte längst einen Nachdruck verdient. Hadorn verbindet religions-, traditions- und zeitgeschichtliche Deutung mit religiös-kirchlichem („endgeschichtlichem") Interesse an biblischer Eschatologie; die Autorschaft des Apostels Johannes hält er für möglich. Sein Buch ist allen Einseitigkeiten feind und gewissermaßen eine geglückte Synthese aus Bousset (III Nr. 58), Lohmeyer (III Nr. 275) und Zahn (III Nr. 498); vermutlich gerade deshalb ist es heute weithin vergessen. Hadorns Entscheidungen zu den Hauptproblemen der Johannesapokalypse werden unten (II 1–12) ausführlich referiert.

f) Religions- und traditionsgeschichtliche katholische Auslegung

Nach den protestantischen Kommentaren von Bousset (III Nr. 58) und Charles (III Nr. 103), dann auch von Lohmeyer (III Nr. 275) sah sich die katholische Exegese genötigt, die Auseinandersetzung mit den dort vorgetragenen Theorien aufzunehmen. Als erster tat dies der französische Dominikaner *Ernest-Bernard Allo* (1873–1945) in seinem Kommentar von 1921 (III Nr. 2), der einen Wendepunkt in der katholischen Apokalypseforschung darstellt. Das gelehrte, besonnene Buch vertritt die literarische Einheit der Johannesoffenbarung und bevorzugt auch sonst eher traditionelle Lösungen. Dennoch werden religions- und traditionsgeschichtliche Probleme sorgsam durchdacht und ernst genommen; die mariologische Deutung von Apk 12 ist aufgegeben.

Mit Textkritik, Text- und Überlieferungsgeschichte der Johannesoffenbarung befassen sich die zahlreichen Veröffentlichungen des Münchner Theologen *Josef Schmid* (1893–1975); aus Platzgründen mußte auf die Aufnahme der Titel in unsere Bibliographie (III) verzichtet werden. In BZ 19 (1931, S. 228–254) erschien Schmids Abhandlung über die griechischen Apokalypse-Kommentare, 1955/56 in München sein zweibändiges Standardwerk, die ›Studien zur Geschichte des griechischen Apokalypse-Textes‹. Schmids Forschungen stellen alle neuere Arbeit an der Johannesoffenbarung auf eine solide Textbasis.

André Olivier ordnet die Apokalypse des Johannes in die alttestamentlich-jüdische Tradition prophetischer Dichtung ein (1938 ff.; III Nr. 343–347). Wie vor ihm schon Charles (III Nr. 103) und Lohmeyer (III Nr. 275), versucht Olivier, den rhythmischen Charakter der Johannesoffenbarung aufzuzeigen.

Seit 1922 (III Nr. 430) beschäftigt sich *Joseph Sickenberger* (1872–1945) mit Problemen der Apokalypse. Im Jahre 1940 legt er seinen Kommentar vor (III Nr. 433), der auf schmalem Raum und allgemeinverständlich, ohne eigentliche Diskussion der Sekundärliteratur, über religions- und traditionsgeschichtliche Voraussetzungen der Johannesoffenbarung unterrichtet (siehe unten II). Von Hause aus deutlich konservativ – als Autor gilt ihm der Apostel Johannes –, erinnert Sickenberger mit dem paränetisch-eschatologischen Interesse seiner Auslegung an die endgeschichtliche Methode. Die einseitige Ablehnung der zeitgeschichtlichen Fragestellung dürfte von Lohmeyer (III

Nr. 275) angeregt worden sein. Eine mariologische Deutung von Apk 12 lehnt Sickenberger ausdrücklich ab.

Nur zwei Jahre nach Sickenbergers Auslegung erscheint diejenige von *Peter Ketter* (1885–1950) in Herders Bibelkommentar (1942; III Nr. 247). Sie hat mit dem Kommentar Sickenbergers alles Wesentliche gemeinsam: Allgemeinverständlichkeit auf wissenschaftlicher Grundlage, Aufnahme der religions- und traditionsgeschichtlichen Deutung, endgeschichtliches Interesse und Ablehnung der zeitgeschichtlichen Methode. Wie bei Sickenberger gilt die Sonnenfrau von Apk 12 als Symbol des Gottesvolks.

g) Protestantische Auslegung nach Lohmeyer und Hadorn

Von den beiden bedeutsamen Kommentaren der zwanziger Jahre, Lohmeyer (III Nr. 275) und Hadorn (III Nr. 192), hat vor allem der erstere die protestantische (und katholische) Exegese der Folgezeit bestimmt. Lohmeyers Absage an die Zeitgeschichte wirkt weiter in der „überzeitlichen Deutung" der Johannesoffenbarung durch den Schweizer Pfarrer *Richard Kraemer* (1929; III Nr. 255). Kraemer erklärt die Bilder der Apokalypse auf Grund altsemitischer und alttestamentlicher „Bausteine" traditionsgeschichtlich korrekt, doch verzichtet er auf jede zeitgeschichtliche Fragestellung; vielmehr betont er, daß die Weisung des Apokalyptikers den „Gläubigen *aller* Zeiten" gelte. So ist das gemeindebezogene Buch, das z. B. von Werner Foerster (III Nr. 161) mit Dank genannt wird, eine endgeschichtliche Auslegung auf traditionsgeschichtlicher Ebene.

Im Jahre 1940 veröffentlicht der Lutheraner *Hanns Lilje* (1899—1977) seine Einführung ›Das letzte Buch der Bibel‹ (III Nr. 270). Allgemeinverständlich wie das Buch Kraemers, hat Liljes Darstellung mit diesem auch die Neigung zu überzeitlicher bzw. endgeschichtlicher Deutung gemeinsam. Die erstaunliche Breitenwirkung dieser knappen Erklärung der Apokalypse beruht nicht zuletzt darauf, daß Lilje wieder die Zeitgeschichte, wenn auch mit spürbarer Zurückhaltung, einbezogen hat; die Situation der Christen damals, angesichts des auf göttliche Verehrung drängenden römischen Kaisertums, wird zum überzeitlichen Paradigma christlicher Haltung gegenüber jeder Staatsapotheose, auch und gerade im Kirchenkampf der nationalsozialistischen Ära.

Gleichfalls in der Zeit des „Dritten Reichs", im selben Jahr 1940 wie die Auslegungen Sickenbergers (III Nr. 433) und Liljes (III Nr. 270), erscheint von dem Schweizer Pfarrer *Charles Brütsch* (1905–1971) die erste, französische, Fassung seines Kommentars (III Nr. 72), der 1955 die deutsche folgt (III Nr. 73). Das zuletzt dreibändige Werk (²1970) ist eine auf großer Belesenheit beruhende, fleißige und liebevolle Kompendienarbeit, die in ungezählten Zitaten alle Richtungen der Apokalypseauslegung zu Worte kommen läßt. Die eigene Auffassung des Autors tritt hinter der Sekundärliteratur völlig zurück; sie ist offenbar im wesentlichen historisch-kritisch (traditions- und zeitgeschichtlich), aber auch endgeschichtlich orientiert. Unverkennbar ist ein gemeindebezogenes, seelsorglich-paränetisches Interesse.

Seit seiner 1952 gedruckten Dissertation (III Nr. 380/381) behandelt Brütschs Landsmann *Mat(t)hias Rissi* (* 1920) immer wieder Probleme der Johannesoffenbarung (III Nr. 381–389). Ein wissenschaftlicher Kommentar darf vielleicht noch erwartet werden; eine allgemeinverständliche Deutung der gesamten Apokalypse liegt vor in Rissis Buch ›Alpha und Omega‹ (1966; III Nr. 388). Rissis Dissertation (III Nr. 380/381), völlig neu bearbeitet 1965 (III Nr. 386), fragt nach Zeit- und Geschichtsauffassung des Apokalyptikers; die Darstellung ist stark beeinflußt von Rissis Lehrer Oscar Cullmann (vgl. ›Christus und die Zeit‹, Zürich ¹1946, ³1950). Als erklärter Feind eines jeden Methodenmonismus verbindet Rissi religions- und traditionsgeschichtliche mit zurückhaltend zeitgeschichtlicher Deutung. Im ganzen wirkt vor allem ›Alpha und Omega‹ (III Nr. 388) konservativ; die Autorschaft des Zebedaiden und Apostels wird für möglich gehalten. Die eine zeitgeschichtliche Deutung fordernden Stücke Apk 13, 17 f.; 15, 2; 17, 9 b–17 spricht Rissi dem Apokalyptiker ab. Religiös-kirchliches Interesse führt zu endgeschichtlich-überzeitlichen Deutungen in der Nachfolge Kraemers (III Nr. 255).

Eine vorurteilsfreie Verknüpfung der wissenschaftlichen Auslegungsmethoden ist jedoch erst in dem allgemeinverständlichen Kommentar des Lutheraners *Eduard Lohse* (* 1924) wieder erreicht (¹1960, ³1971; III Nr. 278). Ähnlich wie seinerzeit Wilhelm Hadorn (III Nr. 192) verbindet Lohse religions-, traditions- und zeitgeschichtliche Exegese mit der Absicht, die Johannesapokalypse religiös-kirchlichem Verständnis zu erschließen. In der hermeneutischen Applikation räumt er auch endgeschichtlich-überzeitlicher Deutung ihr Recht ein.

h) Katholische Auslegung als Verknüpfung der historisch-kritischen Methoden

Die römisch-katholische Exegese findet mit dem 1947 erschienenen Kommentar von *Alfred Wikenhauser* (1883–1960) endgültig den Anschluß an die wissenschaftliche Apokalypseauslegung der Protestanten (III Nr. 495). Wikenhauser nimmt religions-, traditions- und zeitgeschichtliche Forschungen auf und macht sie für das endgeschichtliche Interesse kirchlich-religiöser Leser fruchtbar (vgl. unten II). Dabei hat er u. a. von Wilhelm Hadorn (III Nr. 192) gelernt, den er mehrfach zitiert. Als Teil des allgemeinverständlichen „Regensburger Testaments" ist Wikenhausers in drei Auflagen vorliegender Kommentar (³1959) gewissermaßen ein katholisches Gegenstück zum NTD-Band Eduard Lohses (III Nr. 278). Wie schon Firmin Abauzit (III Nr. 1), hält Wikenhauser die Johannesoffenbarung für eine Entfaltung von Mk 13 parr. (vgl. III Nr. 492).

Zu fast allen wichtigen exegetischen Problemen der Apokalypse hat sich *André Feuillet* (* 1909) in vorzüglichen Abhandlungen geäußert (III Nr. 146–155); sein sorgfältiger Forschungsbericht von 1963 (III Nr. 153) fand auch außerhalb

Frankreichs starke Beachtung. Ausgehend von konservativer katholischer Exegese, rezipiert Feuillet die religions-, traditions- und zeitgeschichtliche Auslegungsmethode. Besonders wichtig sind ihm die Beziehungen der Johannesoffenbarung zur alt- testamentlichen Prophetie und jüdischen Apokalyptik. Die Sonnenfrau von Apk 12 wird von Feuillet ursprünglich ekkle- siologisch und mariologisch zugleich gedeutet (1959; III Nr. 148); später erkennt Feuillet in ihr nur noch das ideale Zion der Propheten, das der Welt den Messias schenkt und dadurch zur christlichen Kirche wird (1961; III Nr. 152).

Von der katholischen Exegetin *Hildegard Gollinger* (* 1941), bekannt durch ihre ekklesiologische Deutung von Apk 12 (1971; III Nr. 182), ist unlängst auch eine Einführung in die gesamte Johannesapokalypse erschienen (1973; III Nr. 182 a). Das all- gemeinverständliche Bändchen erörtert gründlich, sachlich und methodisch sauber alle wesentlichen Fragen der Auslegung ein- schließlich des zeitgeschichtlichen und geistigen Hintergrunds der Apokalypse. Nach dem abgewogenen und sorgsam begrün- deten Urteil der Autorin liegt die Bedeutung der Offenbarung des Johannes für unsere Zeit darin, daß ihr verpflichtender Auftrag sich an die ›Kirche in der Bewährung‹ wendet – damals wie heute.

i) Gegenwärtige Probleme und Aufgaben

Als neuester Kommentar muß derjenige von *Heinrich Kraft* (* 1918), 1974 im ›Handbuch‹ erschienen (III Nr. 257), vor- gestellt werden (siehe unten II). Krafts Auslegung ist vor allem der Traditionsgeschichte verpflichtet; sie versteht den Apoka- lyptiker als urchristlichen Propheten und ordnet ihn in die Tradition alttestamentlicher Prophetie ein, während der Zu- sammenhang mit der jüdischen Apokalyptik ebenso zurücktritt wie die zeitgeschichtliche Fragestellung. Die Kraftsche Erklärung der Johannesoffenbarung ist der erste streng wissenschaftliche Kommentar seit Lohmeyer (1926; III Nr. 275) und Hadorn (1928; III Nr. 192).

Die drei letzten Jahrzehnte der Apokalypseforschung stehen im Zeichen monographischer Untersuchung der Einzelprobleme; selbst André Feuillet (III Nr. 146–155) und Mathias Rissi (III Nr. 380–389) haben noch keinen Kommentar zur Johannesoffenbarung vorgelegt. Aus der Fülle der behandelten Themen und der Autoren sei daher im folgenden wenigstens eine kurze Auswahl mitgeteilt; die Zahlen in Klammern sind die Nummern der Bibliographie (III), wo auch das jeweilige Erscheinungsjahr aufgefunden werden kann.

Das weitaus größte Interesse beanspruchen noch immer Herkunft, Veränderung und Neuordnung des von der Johannesoffenbarung überlieferten Materials. So befassen sich mit der Religions- und Traditionsgeschichte, einschließlich der Erforschung der jüdischen Apokalyptik, u. a. H. D. Betz (36), H. Bietenhard (39), O. Böcher (44), A. Feuillet (146–155), E. Fiorenza (159), W. Foerster (161), G. Kehnscherper (244), K. Koch (251), J. Michl (301–309), U. B. Müller (330), J. M. Schmidt (413) und A. Vögtle (472–475).

Fragen der Form- und Redaktionsgeschichte behandeln u. a. G. Bornkamm (54), G. Delling (120), F. Hahn (195), G. Harder (199), K.-P. Jörns (230), S. Läuchli (259), H.-P. Müller (327 bis 329), J. J. O'Rourke (353) und P. v. d. Osten-Sacken (354). Zeitgeschichtliche Untersuchungen haben L. Cerfaux-J. Cambier (96), B. Newman (336) und P. Touilleux (461) vorgelegt. Zur Sprache der Apokalypse äußern sich E. Lohse (279) und G. Mussies (334); auch W. Foerster (161) wäre hier zu nennen. Text- und auslegungsgeschichtliche Arbeiten bleiben aus Platzgründen (siehe unten III, Vorbemerkung) weitgehend unberücksichtigt, doch sind etwa A. Feuillet (153), P. Prigent (367) und J. M. Schmidt (413) zu vergleichen.

Eigentlich theologische Themen sind verhältnismäßig selten: T. Holtz behandelt die Christologie (220); zu Eschatologie und Geschichtstheologie äußern sich H. Bietenhard (39), G. Bornkamm (55), E. Fiorenza (157 f.), K. Karner (241), M. Rissi (380 f., 386 f.) und A. Strobel (451). Nur die Ekklesiologie erfreut sich zunehmenden Interesses, vor allem bei den katholischen Forschern, die sich noch mit der traditionellen, mariologischen Exegese von Apk 12 auseinandersetzen müssen: A. Feuillet (148, 152), H. Gollinger (182), A. Vögtle (475), vgl. P. Prigent (367). Fragen der Struktur und des Selbstverständnisses der Gemeinden beschäftigen u. a. P. S. Minear (315), A. T. Nikolainen (337), A. Satake (402) und E. Schweizer (423).

Trotz der Fülle älterer und neuerer Untersuchungen zur Johannesoffenbarung fehlt es nicht an Aufgaben für die künftige Apokalypseforschung. Noch immer ist beispielsweise das Verhältnis der Apokalypse zu Evangelium und Briefen des Johannes nicht befriedigend erklärt; daß trotz sprachlicher und theologischer Unterschiede, wie sie zum ersten Male die rationalistische Kritik erkannte und betonte (siehe oben I 1 a), zwischen Evangelium und Apokalypse des Johannes erstaunliche Gemeinsamkeiten bestehen, lehrt etwa Sickenbergers vorzüglicher Überblick (III Nr. 433, S. 34 f.). Der von der Johannesapokalypse abgeleitete Begriff „Apokalyptik" (vgl. Friedrich Lücke, III Nr. 283), der trotz seiner Fragwürdigkeit wohl nicht mehr ersetzt werden kann (etwa: „Spätprophetismus"), verstellt noch immer den Blick für die Kontinuität zwischen der alttestamentlichen Prophetie einerseits sowie Apokalyptik und Apokalypse andererseits. Dieser Traditionszusammenhang muß in Zukunft noch stärker herausgestllt werden, etwa in der Art von Ferdinand Hahns instruktivem Aufsatz über die prophetischen Redeformen der sieben Sendschreiben (III Nr. 195). Nach dem weitgehenden Verlust der nichtpharisäischen jüdischen Literatur infolge der Katastrophe von 70 n. Chr. ist die Johannesoffenbarung auch zu werten als ein Zeugnis für die Rezeption mythischer Stoffe durch das antike Judentum.

Mehr als bisher müßte der prophetische Realismus der Johannesapokalypse ernst genommen werden. So gewiß der Stämmebund von Apk 7 und 12 das wirkliche, jüdische Israel ist (siehe unten II 5 und 7), so gewiß rechnet der judenchristliche Apokalyptiker mit einer tausendjährigen Messiasherrschaft (siehe unten II 11) und einer glanzvollen Erneuerung Jerusalems (siehe unten II 12) auf Erden. Das christliche Proprium der Johannesoffenbarung besteht in der Übertragung der messianischen Hoffnungen des Judentums auf Jesus von Nazareth und, daraus folgend, in der christologischen Interpretation spätprophetischer „Mythologie"; man darf daher das Christianum der Apokalypse nicht zu früh entdecken wollen. Das gilt auch für Angelologie, Pneumatologie und Dämonologie, deren zusammenfassende Darstellung für die Johannesoffenbarung noch aussteht; wertvolle Vorarbeiten dazu sind die zahlreichen ThWNT-Artikel Werner Foersters.

Noch bewußter wird sich die Auslegung der Apokalypse gegen einseitige Bevorzugung oder gar ausschließliche Herrschaft bestimmter Methoden wenden müssen. Traditions- und Zeitgeschichte schließen sich so wenig aus wie die Übernahme von Traditionsgut und die „Erlebnisechtheit" der Apokalypse. Aus dem Reichtum der prophetischen und mythischen Traditionen assoziiert, erlebt und deutet der Apokalyptiker, was zu den Problemen seiner Zeit am ehesten paßt. Zeitgeschichtliche Forschung sollten auch die deutschen Gelehrten wieder intensiver betreiben; politische Bedingungen für die Wahl der apokalyptischen Bilder müssen mit bedacht werden, wie dies die leider ungedruckte Antrittsvorlesung von Wilhelm Pesch (III Nr. 357) unternimmt. Schließlich wäre eine zeitgeschichtliche Erklärung, die sozialgeschichtliche und seelsorgliche Aspekte berücksichtigt, auch dem Gegenwartsbezug der Johannesoffenbarung dienlich; der christliche Lehrer und Prediger kommt nicht aus ohne genaue Kenntnis des zeitgeschichtlichen Hintergrunds, wenn anders die Apokalypse nicht den Schwärmern und Sektierern überlassen bleiben soll.

II. EXEGETISCHER QUERSCHNITT:
HAUPTPROBLEME DER JOHANNESAPOKALYPSE
IN KOMMENTAREN SEIT 1900

Das folgende Kapitel will an zwölf ausgewählten Problemen der Apokalypse-Exegese aufzeigen, wie und wo sich – bei verschiedenen theologischen Ansätzen – eine Opinio communis der Forscher unseres Jahrhunderts herausgebildet hat bzw. wo eine solche Übereinstimmung noch nicht besteht. Da die Auslegung der sogenannten sieben Sendschreiben (Apk 2 f.) nie eigentlich kontrovers gewesen ist, sondern nach Analogie der neutestamentlichen Briefliteratur erfolgte, habe ich zehn bekannte Themen aus dem Korpus der Visionen (Apk 4–22) gewählt: das „Lamm", die apokalyptischen Reiter, die 144 000 Versiegelten, die beiden wundertätigen Zeugen, die Sonnenfrau am Himmel, die teuflische Trinität, die Zahl 666, die Hure Babylon, das tausendjährige Reich und das himmlische Jerusalem. Ihnen wurden die Fragen nach dem Autor und seinem religionsgeschichtlichen Hintergrund sowie nach der Datierung des Buches und dem zeitgeschichtlich-politischen Hintergrund vorangestellt.

In Form einer Synopse kommen in chronologischer Reihenfolge sieben Kommentatoren[1] zu Wort, die jeweils für ihre Zeit und Umwelt von forschungsgeschichtlicher Bedeutung sind. Wilhelm Bousset (1865–1920), der protestantische Theologe und Mitbegründer der religionsgeschichtlichen Schule, führt die Reihe an; sein 1896 in erster, 1906 in zweiter Auflage erschienener

[1] In den folgenden Extrakten und Zitaten aus den Kommentaren wurde die Zitierungsweise der Belegstellen vereinheitlicht. Die Orthographie der Eigennamen blieb im Zitat unangetastet (Sion, Elias, Moses); in den Referaten ist die Orthographie diejenige des Verfassers. Offensichtliche Versehen wurden stillschweigend berichtigt.

Kommentar – hier zitiert nach der zweiten, durch Nachdruck 1966 leicht zugänglichen Auflage (III Nr. 58) – zieht ein Fazit der religionsgeschichtlichen Forschungen bis zur Jahrhundertwende und versucht, durch traditionsgeschichtliche Beobachtungen und zeitgeschichtliche Rückfragen den Autor als Persönlichkeit in seiner Zeit zu profilieren. Entsprechendes leistet der gebürtige Ire, der Anglikaner und Professor in Dublin, Oxford und London, Robert Henry Charles (1855–1931), für die angelsächsische Welt, deren Apokalypse-Deutung bis 1920 noch weitgehend in der welt- und kirchengeschichtlichen Methode befangen war. Nach zahlreichen Vorarbeiten (seit 1913) legt Charles im Jahre 1920 seinen zweibändigen Kommentar (III Nr. 103) vor, der die Apokalypse religions- und zeitgeschichtlich untersucht und erstmals rhythmische Gliederung und strophischen Aufbau nachzuweisen unternimmt; literar- und traditionskritische Beobachtungen verführen den gelehrten Autor freilich nicht selten zu gewalttätigen Änderungen und Umstellungen des überlieferten Textes.

Von erstaunlicher Gelehrsamkeit und Materialfülle ist auch der Kommentar Ernst Lohmeyers (1890–1946), 1926 im ›Handbuch‹ erschienen (III Nr. 275; Seitenzahlen im folgenden nach der Neuausgabe von 1953). Freilich ist der Band gekennzeichnet von einer kaum erklärlichen Einseitigkeit; Lohmeyer leugnet fast jeden zeitgeschichtlichen Bezug, und das mit oft emotionaler Heftigkeit. Während er die Geschichte der überlieferten und verarbeiteten Stoffe zurückverfolgt bis zum archaischen Mythus, sammelt er alle nur möglichen Einwände gegen etwaige Anspielungen auf Rom, Nero, Domitian und den Kaiserkult. Nicht zuletzt darin besteht der Wert dieses eigenartigen Buches. Bemerkenswert, wenn auch selten geglückt ist Lohmeyers Versuch, rhythmische Gliederung der Apokalypse nachzuweisen und in seiner Übersetzung nachzuvollziehen.

Dagegen ist der 1928 erschienene Kommentar (III Nr. 192) des reformierten Schweizers Wilhelm Hadorn (1869–1929) im deutschen Sprachraum sehr zu Unrecht gegenüber Bousset und Lohmeyer fast in Vergessenheit geraten. In vorzüglicher, übersichtlicher Gliederung und in wohltuender Knappheit vermeidet Hadorn sowohl die Weitschweifigkeit Boussets und Charles' als auch die Einseitigkeit Lohmeyers; seine Auslegung verbindet Religions- und Traditionsgeschichte mit zeitgeschichtlicher Deutung, und hermeneutisch-theologische Erwägungen führen über ein rein historisches Interesse hinaus. Die bis 1928 vorliegenden Forschungen zur Apokalypse werden kritisch resümiert und erfolgreich weitergeführt; die Abgewogenheit des Hadornschen Urteils verdient noch heute weitgehende Zustimmung, ebenso wie Tendenzen und Details seiner Auslegung.

Die katholische Exegese der Apokalypse wird vertreten durch die Kommentare von Joseph Sickenberger (1872–1945) und Alfred Wikenhauser (1883–1960). Sickenbergers Auslegung, in erster Auflage 1940 erschienen (III Nr. 433), wird hier nach der zweiten Auflage von 1942 zitiert; im ganzen eher konservativ, doch von wohltuender Nüchternheit, vermittelt dieser Kommentar seinen Lesern die wichtigsten religions- und traditionsgeschichtlichen Erkenntnisse. Freilich sperrt sich Sickenberger, hier offenbar ganz im Banne Lohmeyers, weitgehend der zeitgeschichtlichen Exegese; auch gegen astralmythologische Deutungen zeigt er deutliche Reserve. Der Kommentar von Wikenhauser ([1]1947), zitiert nach der dritten Auflage von 1959 (III Nr. 495), überwindet die Einseitigkeit Sickenbergers; beeinflußt von Hadorn, repräsentiert Wikenhauser eine historisch-kritische Apokalypse-Auslegung, die religions-, traditions- und zeitgeschichtliche Exegese aufnimmt und verständnisvoll weitergibt.

Schließlich vertritt Lohmeyers Nachfolger im ›Handbuch‹, Heinrich Kraft (* 1918), die vorläufig letzte Stufe protestantischer Auslegung der Apokalypse. Sein vor allem traditionsgeschichtlich bestimmter Kommentar von 1974 (III Nr. 257) deutet die Apokalypse als ein Zeugnis der urchristlichen Prophetie und betont stark die alttestamentlichen und jüdischen Voraussetzungen der Visionen des Apokalyptikers, der sich als christlicher Prophet verstanden habe; Kraft arbeitet die gesamte ältere Kommentarliteratur auf, ist mit zeitgeschichtlichen Deutungen zurückhaltend, ohne sie immer auszuschließen, und kommt vielfach zu originellen, neuen Lösungen.

Gern hätte der Verfasser noch mehr Kommentare zu Worte kommen lassen, auch aus der Fülle der gemeindebezogenen und erbaulichen Auslegungen; doch stand dem die gebotene Beschränkung des Umfangs entgegen. Von den zugleich wissenschaftlichen und allgemeinverständlichen Erklärungen der Apokalypse seien hier wenigstens diejenigen von Peter Ketter (1885–1950, kath.; III Nr. 247) und Eduard Lohse (* 1924, prot.; III Nr. 278) genannt. Die jeweilige Auffassung des Verfassers wird im folgenden deutlich aus den kurzen Stellungnahmen zu den zwölf ausgewählten Hauptproblemen der Apokalypse.

1. Autor und religionsgeschichtlicher Hintergrund

a) Bousset (1906)

Bousset lehnt eine Identität des kleinasiatischen Apokalyptikers Johannes mit dem Zebedaiden und Apostel Johannes ab (S. 35, 38, 49). Dagegen setzt er den Autor der Apokalypse, „eine Persönlichkeit der kleinasiatischen Kirchenprovinz von hoher Autorität" (S. 35), gleich mit dem Presbyter Johannes des berühmten Papias-Fragments bei Euseb Hist Eccl III 39, 4 (S. 39) und mit dem der Presbyterfragmente des Irenäus (S. 41). Nur unter der Voraussetzung, daß Irenäus bzw. sein Gewährsmann (wohl: Papias) den Presbyter Johannes für den Verfasser der Apokalypse hielt, ist eine Angabe wie Iren Haer V 30, 1 sinnvoll: „die, welche den Johannes noch persönlich gekannt haben, bezeugten, daß die Zahl des Tieres in der Apokalypse 666 sei" (S. 41).

Zwar stammen nach Bousset Apokalypse und Evangelium des Johannes, trotz sprachlicher Verwandtschaft im einzelnen (S. 177 bis 179), nicht vom selben Autor, doch ist der als Verfasser des Evangeliums, der Briefe und der Apokalypse des Johannes genannte Johannes derselbe: der kleinasiatische Presbyter (S. 42 bis 45); im Evangelium des Johannes will ein Schüler diesen seinen Meister verherrlichen (S. 44), den langlebigen Jesusjünger von Joh 21 (S. 49). „So kommen wir mit einiger Wahrscheinlichkeit zu dem Schluß, daß der Verfasser der Apokalypse, wie sie uns vorliegt, der kleinasiatische Johannes, der Presbyter des Papias gewesen ist" (S. 49). Dementsprechend ist der Name Johannes *kein* Pseudonym (S. 49).

Der Verfasser der Apokalypse stammt aus dem Judentum; das belegen die von ihm „benutzte apokalyptische Tradition", sein „Gebrauch des alten Testaments und ... seine Sprache" (S. 139). Bousset zögert gleichwohl, ihn einen Judenchristen zu nennen, weil er diesen Titel offenbar den Paulusgegnern vorbehalten möchte (S. 139). Dennoch verweist Bousset auf die Tatsache, daß Johannes den Ehrennamen der Juden seinen Gegnern abspricht (Apk 2, 9; 3, 9; S. 139) und möglicherweise an einer „gewissen Prärogative des gläubigen Israels" festhält (Apk 7, 1–8; S. 140). Daß die jüdische Apokalyptik den Hintergrund der Visionen des Sehers bildet, ist für Bousset selbstverständliche Voraussetzung seines Kommentars.

b) Charles (1920)

Zwischen Autor und Herausgeber der Apokalypse unterscheidet R. H. Charles; dem ersteren schreibt er Apk 1, 1–20, 3 zu, während 20, 4–22, 21 nach dem Tode des Apokalyptikers von einem Schüler verfaßt bzw. zusammengestellt worden sei (I, S. xviii und l; II, S. 144–154), auf den auch Interpolationen und Veränderungen in den übrigen Kapiteln der Apokalypse zurückgehen sollen (I, S. l–liv). Den Verfasser von Apk 1–19 unterscheidet Charles sowohl von dem Presbyter als dem Autor des Evangeliums und der Briefe des Johannes als auch von dem Zebedaiden und Apostel; er hält den Apokalyptiker für einen palästinensischen Judenchristen, der in fortgeschrittenem Alter nach Kleinasien kam (S. xliii).

Auch den Herausgeber (und Autor von Apk 20, 4–22, 21) glaubt Charles als Persönlichkeit sichtbar machen zu können, schwerlich überzeugend. Er vermutet in ihm einen Diasporajuden, des Griechischen eher mächtig als sein Meister, aber „ansonsten eine törichte und unwissende Person, ein beschränkter Fanatiker und Zölibatär . . ., ein Erzketzer . . . ohne es zu wissen" (S. xviii) – weil Charles ihm nämlich Apk 14, 4 a zuschreibt (siehe unten II 5).

Der religionsgeschichtliche Hintergrund beider „Autoren" der Apokalypse ist für Charles ein apokalyptisches Judentum, das heidnische Einflüsse bis hin zur Astrologie bereits rezipiert hat (vgl. etwa unten II 7).

c) Lohmeyer (1926)

Für Lohmeyer ist die Apokalypse „das ganz persönliche Bekenntnis eines großen Dichters und Propheten" (S. 200), „das Buch eines Märtyrers für Märtyrer" (S. 202). Zwischen der Apokalypse und dem Evangelium des Johannes sieht er so weitgehende Verwandtschaft, daß er beide im „Strom einer ,jüdischen Gnosis' " beheimaten kann (S. 196), da die Unterschiede nach Form und Inhalt „sich nicht ausschließen, sondern gegenseitig fordern" (S. 195, ähnlich S. 202). Daher führt Lohmeyer die Apokalypse auf den Autor des Evangeliums zurück, für das er eine aramäische Grundschrift vermutet; die Apokalypse sei „zeitlich nach dem Evangelium entstanden" (S. 203).

Weil die Apokalypse, trotz ihrer Lokalisierung in Ephesus, „eine Schöpfung aus palästinensischen Gedanken" sei, ist auch „die ursprüngliche Heimat des Sehers in Palästina zu suchen" (S. 203). Der Autor der Apokalypse ist nach Lohmeyer ein priesterlich gebildeter und schriftgelehrter Judenchrist; die Möglichkeit der Identität „mit dem Apostel Johannes Zebedäi" schließt Lohmeyer aus. „Wohl aber ist es möglich und sogar wahrscheinlich, daß der Seher mit dem ,Presbyter Johannes' identisch ist, von dem die bekannte Papias-Notiz spricht" (S. 203).

d) Hadorn (1928)

Auch Hadorn führt Apokalypse und Evangelium des Johannes auf ein und denselben Verfasser zurück, doch bestreitet er – mit bedenkenswerten Argumenten – den Wert des Papias-Zeugnisses (S. 222 f.). Da der sogenannte Presbyter Johannes von dem Apostel nicht deutlich unterschieden werden könne, habe der langlebige Lieblingsjünger von Joh 21, der gegenüber seinen kleinasiatischen Lesern mit apostolischer Autorität auftrete, als Autor der Apokalypse wie des Evangeliums zu gelten (S. 223). Nach verschiedenen Argumenten für die Verfasserschaft des Apostels Johannes (S. 224) kommt Hadorn zu dem Urteil: „... so wird man es schließlich doch nicht als ein Ding der Unmöglichkeit proklamieren dürfen, daß der Zwölfjünger Johannes das Buch verfaßt hat. Diese Annahme ist noch immer die einfachste und wahrscheinlichste Lösung dieses Problems" (S. 225).

Hadorn hält also am Apostel Johannes als dem Autor der johanneischen Schriften fest; mit diesem ist auch der „Presbyter" des 2. und 3. Johannesbriefes identisch (S. 225). In der Apokalypse versteht sich der Apostel als Prophet (S. 223); das Evangelium ist dann „seine letzte Gabe" an die Kirche gewesen (S. 225). „Die Apokalypse zeitlich hinter das Evangelium anzusetzen, erscheint mir unmöglich" (S. 225). Die Heimat der johanneischen Literatur einschließlich der Apokalypse ist dann nach Hadorn das palästinensische Judentum der Zeit Jesu, das bereits mit der Religiosität seiner Umwelt in mancherlei Beziehung stand (vgl. S. 225 f.).

e) Sickenberger (1942)

Sickenberger zweifelt noch weniger als Hadorn an der apostolischen Provenienz der Apokalypse. Die Selbstbezeichnung „Diener" (Apk 1, 1) bedeutet für Sickenberger nichts anderes als bei Paulus, Jakobus und Judas: „Missionär oder Apostel"

(S. 32). Nachdrücklich betont er, „... daß der Apostel Johannes in der hier in Frage kommenden Zeit als hochangesehener Metropolit in [Klein-]Asien wirkte und daß die Hypothese von einem Doppelgänger, dem sogenannten Johannes Presbyter, nicht haltbar ist. Es kann also als Verfasser der Apokalypse nur der Apostel in Frage kommen. Ein anderer Prophet namens Johannes hätte sich schwerlich damals nur mit seinem Namen bezeichnet und auch nicht diese Autorität beansprucht" (S. 33).

„Wenn nun aber die Identität zwischen dem Apokalyptiker Johannes und dem Apostel Johannes zu Recht besteht, muß weiterhin auch die Identität mit dem Verfasser des vierten Evangeliums und der drei Johannesbriefe angenommen werden" (S. 33). So leugnet Sickenberger zwar nicht die Unterschiede im sprachlichen Bereich, doch erklärt er sie durch die Annahme, das ursprünglich aramäische Evangelium sei durch einen Schüler ins Griechische übersetzt worden; dagegen könne das Griechisch der Apokalypse auf den Autor selbst (oder einen anderen Schüler) zurückgehen (S. 34). Die theologischen Gemeinsamkeiten zwischen Apokalypse und Evangelium des Johannes stellt Sickenberger in einer gründlichen Übersicht zusammen (S. 34 f.).

Der judenchristliche Hintergrund einerseits, insbesondere die Beherrschung des Alten Testaments, und die Vertrautheit mit der Lehre Jesu andererseits weisen nach Sickenberger auf den Apostel Johannes als den Autor der Apokalypse (S. 33).

f) Wikenhauser (1959)

Wikenhauser schließt aus der Apokalypse, ihr Verfasser sei „eine den kleinasiatischen Christengemeinden wohlbekannte Persönlichkeit" gewesen, ein genauer Kenner der „Zustände in den sieben Gemeinden" von „unbestrittener Autorität"; dies würde gut zu den altkirchlichen Belegen passen, die den Apostel Johannes für den Autor der Apokalypse halten (S. 13 f.).

Die Schwierigkeit, sowohl die Apokalypse einerseits als auch das Evangelium (und die drei Briefe) des Johannes andererseits

auf einen und denselben Verfasser zurückzuführen, sieht
Wikenhauser durchaus; die wichtigsten Argumente gegen solche
Identifikation stellt er zusammen (S. 14 f.). „Da die beiden
Schriftgruppen aber ganz verschiedenen literarischen Gattungen
angehören und verschiedene Gegenstände behandeln, glauben
die katholischen Gelehrten fast allgemein, an der Abfassung der
Apokalypse durch den Apostel Johannes mit der Tradition
festhalten zu müssen, zumal die Gestalt des ephesinischen (Pres-
byters) Johannes nicht recht greifbar ist" (S. 15).

Wikenhauser möchte die Apokalypse einerseits nicht allzu
weit vom übrigen johanneischen Schrifttum abrücken, hält jedoch andererseits die sprachlichen und theologischen Differenzen
für so gewichtig, daß er an einen anderen Autor denkt, und
zwar an den ephesinischen Bischof Johannes, einen Schüler des
Apostels Johannes (vgl. Euseb Hist Eccl III 39, 7; Apostol.
Konstitutionen VII 46, 7) (S. 16).

g) Kraft (1974)

Nach Kraft ist es nicht möglich, den Apokalyptiker und
„Gottesknecht" Johannes (Apk 1, 1.4.9; 22, 8) mit dem Apostel
Johannes gleichzusetzen; der Verfasser der Apokalypse beansprucht keine apostolische, sondern prophetische Autorität (S. 9).
Freilich tritt das Prophetenamt im Hauptteil der Apokalypse
zurück; der Verfasser gehört zur dritten Generation und ist
bestrebt, die Überlieferung zu fixieren (S. 9). Mit dem „Presbyter Johannes" der Papias-Notiz ist er nicht identisch (S. 9).
Apokalypse und Evangelium des Johannes stammen nicht vom
selben Verfasser; gewisse Verwandtschaften lassen jedoch „eine
Herkunft aus demselben Kreis" vermuten (S. 9 f.). Eine Abfassung der Apokalypse durch den Apostel und Zebedaiden
Johannes wird durch chronologische und stilistische Gründe
ausgeschlossen (S. 10 f.).

Der Autor der Apokalypse will durch seinen Namen Johannes und sein Prophetenamt im westlichen Kleinasien als hin-

reichend ausgewiesen gelten; das Buch ist vermutlich „nicht von ihm selber, sondern in seinem Namen" geschrieben worden (S. 11). In ihrem Anliegen, „Überliefertes möglichst vollständig festzuhalten", steht die Apokalypse zwischen den Aposteln und den apostolischen Vätern und in der Nachbarschaft der Evangelien; eine solche „Zusammenstellung der apokalyptischen Erwartung" besaß aktuelle Bedeutung am Ende des 1. Jahrhunderts n. Chr. (S. 11).

Stellungnahme

Die Identifikation des Apokalyptikers mit dem Autor des Johannesevangeliums (Lohmeyer, Hadorn, Sickenberger) ist heute nicht mehr zu halten, auch nicht bei Annahme verschiedener Übersetzer aus dem Aramäischen. Sofern der Apostel und Zebedaide Johannes das Evangelium verfaßt hat (was nicht ganz unmöglich ist, wenn man die Hellenisierung auch des palästinensischen Judentums in Rechnung stellt), kann er nicht wohl auch der Autor der Apokalypse sein. Die Papias-Notiz bei Euseb (Hist Eccl III 39, 4) ist in der Tat (Hadorn, Wikenhauser) so wenig konkret, daß man (gegen Bousset) auf ihr keine gewichtigen Schlüsse aufbauen sollte. In der Feststellung judenchristlichen Hintergrunds sind sich alle neueren Ausleger einig, wobei das Judentum längst auch heidnische Mythologie rezipiert hatte (Charles). Die unleugbare Verwandtschaft zwischen Apokalypse und Evangelium des Johannes (Sickenberger) läßt an einen Schulzusammenhang denken (Wikenhauser; vgl. Kraft), ohne daß der Apokalyptiker mit einem sonst bekannten Johannes identifiziert werden könnte (Charles, Kraft). Nur Charles will zwei „Autoren" entdecken; ihm gegenüber ist an der Einheitlichkeit der Redaktion festzuhalten. Damit ist die Annahme verschiedenartiger (jüdischer) Quellen keineswegs ausgeschlossen (Bousset, Charles, Lohmeyer, Hadorn u. a.).

2. Datierung und zeitgeschichtlicher Hintergrund

a) Bousset (1906)

Die Apokalypse selbst bietet zufolge Bousset durch die vorausgesetzte zeitgeschichtliche Situation die Möglichkeit, die Frage nach der Entstehungszeit zu beantworten. Ein schrecklicher Entscheidungskampf zwischen der christlichen Gemeinde und dem römischen Staat steht bevor; vom Imperium als der Inkarnation des Satans werden diejenigen verfolgt, welche ihm die Anbetung verweigern (Apk 13, 4.8.9.12.14 f.; 14, 9.12; 16, 10; 19, 20; 20, 4); „ist das alles auch noch Weissagung, so entwirft doch offenbar der Apokalyptiker dies Zukunftsgemälde aus den Erfahrungen seiner Gegenwart heraus" (S. 131). „Die verdammungswürdige Tat des römischen Imperiums ist . . . die Aufrichtung und Pflege des Cäsarenkultus. Der Kaiserkultus ist der Gegenstand des Kampfes . . ." (S. 132).

Da kein Kaiser des 1. Jahrhunderts außer Caligula die Selbstvergötterung so sehr betrieben hat wie Domitian (reg. 81–96 n. Chr.), spricht alles für die letzten Regierungsjahre Domitians als Entstehungszeit der Apokalypse (S. 133). Noch haben die systematischen Christenverfolgungen unter Trajan (reg. 98–117 n. Chr.) nicht begonnen (S. 134). Auf das Ende der Herrschaft Domitians datiert auch Irenäus (Haer V 30, 3; vgl. Euseb Hist Eccl V 8, 6) die Entstehung der Apokalypse, vielleicht nach einem älteren Gewährsmann (S. 134). Zufolge Bousset wird diese Datierung auch durch Einzelbeobachtungen gestützt; so wurde „etwa unter Domitian" in Apk 17 eine „Quelle aus der Zeit Vespasians" überarbeitet (S. 134). Die Umschreibung der Hungersnot von Apk 6, 6 glaubt Bousset – nach S. Reinach (III Nr. 375) – mit einem Edikt Domitians von 92 n. Chr. in Beziehung setzen zu können (Sueton, Domitiani vita 7), so daß die Apokalypse etwa 93 n. Chr. geschrieben wäre (S. 135).

b) Charles (1920)

Auch Charles geht davon aus, daß der Apokalyptiker unter Domitian geschrieben habe (I, S. xci). Während – spätere – altchristliche Zeugen auch eine Entstehung unter Claudius, Nero und Trajan vertreten (S. xci f.), datieren die frühesten Väterbelege die Apokalypse einstimmig in die letzten Jahre Domitians, u. a. Irenäus (Haer V 30, 3), Euseb (Hist Eccl III 18, 3), Clemens Alexandrinus (Quis dives 42), Origenes (In Mt 16, 6) und Hieronymus (De viris illustr 9) (S. xcii f.).

Die Quellen sind älter, z. T. unter Nero entstanden; Apk 17, 10 f. und 18, 4 dürften aus der Zeit Vespasians stammen (S. xciii f.). In die Regierung Domitians verweisen nach Charles: a) die Benutzung des Matthäus- und des Lukasevangeliums, b) die jetzige Form der sieben Sendschreiben, c) die Nötigung der Christen zum Kaiserkult (S. xciv f.): erst am Ende der Regierungszeit Domitians wird kultische Verehrung des römischen Kaisers gefordert; erst jetzt beginnen in Rom die Christenverfolgungen, die in Kleinasien erwartet werden müssen (S. xcv).

Schließlich spricht d) nach Charles auch die Verwendung der Sage vom Nero redivivus für domitianische Zeit (S. xcv); die Ankunft des Nero redivivus steht noch aus, Nero redivivus kann nicht Domitian bezeichnen. Nicht ein gegenwärtiger römischer Kaiser, sondern ein übernatürliches Ungeheuer aus dem Abgrund wird in nächster Zukunft als Nero redivivus erscheinen; Domitian sitzt bereits auf dem Throne des Tieres (S. xcvi f.).

Damit kommt Charles in die letzten Regierungsjahre des 96 n. Chr. ermordeten Domitian; die Apokalypse ist nach Charles um 95 n. Chr. entstanden. Da zufolge Charles der „Herausgeber" der Apokalypse und Verfasser von Apk 20, 4–22, 21 alsbald nach dem Tode des Hauptautors gewirkt hat, wird der zeitliche Ansatz durch diese Hypothese nicht gesprengt. Im Domitian-Edikt des Jahres 92 n. Chr. sieht Charles keinen sicheren Bezug zu Apk 6, 6 und verwirft es dementsprechend als Datierungshilfe (I, S. 168).

c) Lohmeyer (1926)

Da Lohmeyer sich jeder zeitgeschichtlichen Deutung der Visionen (Apk 4–22) verschließt, also auch das Domitian-Edikt von 92 n. Chr. als Datierungshilfe für Apk 6, 6 verwerfen muß (S. 61), ist er für die Frage nach der Entstehungszeit der Apokalypse auf die sieben Sendschreiben (Apk 2 f.) angewiesen. Aus dem Zustand der Gemeinden, vor allem aus dem Eindringen „mannigfacher Irrungen und Wirrungen", schließt er auf „eine längere Zeit ihres Bestehens"; das Erdbeben von Laodizea aus dem Jahre 60/61 n. Chr. ist nicht mehr erwähnt und muß bei dem Wohlstand dieser Stadt Jahrzehnte zurückliegen (S. 41). Die Verfolgungen, „noch sporadisch und lokal", bieten keine sichere Datierungshilfe (S. 41 f.).

„Das innere Zeugnis der Apokalypse spricht für das letzte Jahrzehnt des ersten christlichen Jahrhunderts ..." (S. 203); es wird gestützt durch altkirchliche Zeugen, etwa Irenäus (bei Euseb Hist Eccl III 18, 2) (S. 203). Auch Lohmeyer vertritt also eine Entstehung der Apokalypse unter Domitian († 96 n. Chr.) oder allenfalls noch unter Nerva (reg. 96–98 n. Chr.).

d) Hadorn (1928)

Dagegen hält Hadorn die Apokalypse für ein Vierteljahrhundert älter. Apk 6, 9; 11, 1 f. und „somit alle Abschnitte, in denen die danielische Zeitbestimmung der 42 Wochen vorkommt", müssen nach Hadorn „vor der Zerstörung des Tempels und der Stadt" (also vor 70 n. Chr.) entstanden sein; Apk 17 sei „unter dem 6. Kaiser", entweder Galba († 69 n. Chr.) oder Vespasian († 79 n. Chr.), geschrieben worden (S. 221). In Apk 6, 6 vermutet auch Hadorn – wie Bousset – einen zeitgeschichtlichen Bezug, doch argumentiert er mit einer politischen Maßnahme des Titus (nach Jos Bell 5, 409) und lehnt eine Datierung nach dem Domitian-Edikt von 92 n. Chr. ab (S. 83).

Was Charles für einige Quellenstücke der Apokalypse festgestellt hatte – daß sie nach Neros Tod und während des jüdischen Krieges verfaßt worden sein müßten –, möchte Hadorn ausweiten auf das ganze „Weissagungsstück Kapitel 4–22, 5, wo es kein einziges Indizium gibt, das uns nötigen würde, in die Zeit Domitians herabzugehen" (S. 221). „Wenn man bedenkt, wie stark die neronische Christenverfolgung und der Brand Roms auf die Schilderung der Apokalypse eingewirkt hat, so müßte die Zerstörung Jerusalems noch ganz anders auf dieses Buch eingewirkt haben, falls dasselbe erst nach 70 geschrieben worden wäre" (S. 221). Auch die Sendschreiben setzt Hadorn vor 70 n. Chr. an, wobei er sich die Argumente Spittas (III Nr. 438) zu eigen macht (S. 221 f.). Das Evangelium des Johannes, vom selben Autor stammend wie die Apokalypse, hält Hadorn für jünger als die Johannesoffenbarung (S. 225).

e) Sickenberger (1942)

Ähnlich wie Lohmeyer, vermag Sickenberger in den Visionen der Apokalypse nur wenig zeitgeschichtliche Anspielungen zu erkennen. Immerhin schließt er aus der mit Israel identischen, in die Wüste fliehenden Messiasmutter von Apk 12, daß die Apokalypse schwerlich vor 70 n. Chr. entstanden sein könne (S. 32). Im übrigen folgert er, wiederum wie Lohmeyer, aus der inneren Situation der kleinasiatischen Gemeinden – „Erschlaffung des christlichen Eifers", Häresien – einen zeitlichen Abstand von mindestens dreißig Jahren zu ihrer Gründung (S. 32). Eine Beziehung von Apk 6, 6 zum Domitian-Edikt von 92 n. Chr. läßt Sickenberger nicht gelten (S. 81).

Das von Irenäus (Haer V 30, 3 = Euseb Hist Eccl V 8, 6) genannte Entstehungsdatum der Apokalypse, das Ende der Regierung Domitians, verdient zufolge Sickenberger volles Zutrauen; dann ist die Apokalypse zur Zeit der domitianischen Christenverfolgung von 95/96 n. Chr. geschrieben worden (S. 32). „Aber selbst wenn nur lokale Verfolgungen Johannes aus Ephesus vertrieben hätten, wäre von diesem Datum nicht weit abzurücken" (S. 32).

f) Wikenhauser (1959)

Mit glaubwürdigen Zeugen der alten Kirche (Iren Haer V 30, 3; danach Euseb Hist Eccl III 18, 1; ferner Viktorin v. Pettau u. a.) tritt Wikenhauser für eine Entstehung der Apokalypse in den letzten Regierungsjahren Domitians, „also etwa 94 oder 95", ein (S. 16). Die Datierung auf eine Zeit vor 70 n. Chr. (Hadorn) weist Wikenhauser zurück, da gewichtige innere Gründe für das von Irenäus genannte Datum sprechen, insbesondern die Situation der kleinasiatischen Gemeinden (S. 17). Sowohl das laodizenische Erdbeben von 60/61 n. Chr. als auch die neronische Verfolgung von 64 n. Chr. liegen „offenbar schon eine größere Anzahl von Jahren in der Vergangenheit zurück" (S. 17). In Apk 6, 6 liege eine zeitgeschichtliche Anspielung vor, die jedoch nicht von dem Domitian-Edikt von 92 n. Chr., sondern von einem gleichzeitigen Edikt des L. Antistius Rusticus her interpretiert werden müsse (S. 59).

„Domitian ist der erste römische Kaiser, der für seine Person göttliche Verehrung gefordert hat, und zwar erst gegen Ende seiner Regierung" (S. 18). Die Kirche Kleinasiens, der besonderen Pflegestätte des Kaiserkults, wird durch Domitians Forderung in Konflikte geführt, als deren Konsequenz schwere Verfolgungen bevorstehen. „Johannes sieht diese Gefahr in der Kraft des prophetischen Geistes voraus" und ruft auf „zum entschlossenen Widerstand". „Das ist die Situation, in welcher der Apokalyptiker schreibt" (S. 18).

g) Kraft (1974)

Aus Apk 17, 10 schließt Kraft, zumindest Kapitel 17 sei geschrieben worden, als der designierte Nachfolger des regierenden Kaisers bereits allgemein bekannt gewesen sei; dies treffe so nur für die Regierungszeit Nervas zu, nachdem Trajan Mitregent geworden sei (S. 222). Damit ergibt sich für Apk 17, aber auch für das verwandte Kapitel Apk 13 eine Entstehung zwischen Juli 97 und Frühjahr 98 n. Chr. (S. 10; vgl. S. 222). Auf M. Nerva deutet Kraft auch das Zahlenrätsel von Apk 13, 18 (S. 222; vgl. S. 184 f.). Die Angabe, daß der Antichrist in der Gegenwart nicht „sei", sondern nur Vergangenheit und Zukunft habe (Apk 17, 11), versteht Kraft als Hinweis auf das Ende der domitianischen Christenverfolgung unter Nerva (S. 222). Damit kommt er für Apk 13 und 17 zu einer etwas späteren Ansetzung als die meisten Ausleger vor ihm; freilich schließt er ein höheres Alter anderer Kapitel der Apokalypse nicht grundsätzlich aus (S. 10).

Stellungnahme

Der zeitliche Ansatz der Apokalypse vor 70 n. Chr. (Hadorn) ist heute allgemein aufgegeben. An der Entstehung in den letzten Jahren Domitians, also etwa 95 n. Chr., sollte nicht mehr gezweifelt werden (Bousset, Charles, Lohmeyer, Sickenberger, Wikenhauser). Auf diese Zeit weisen sowohl die Verhältnisse in den kleinasiatischen Gemeinden zufolge der sieben Sendschreiben (Lohmeyer, Sickenberger; auch Wikenhauser) als auch der gegen den Kaiserkult gerichtete Tenor mehrerer Stellen im Visionsteil der Apokalypse (Bousset, Charles, Wikenhauser). Die Väterbelege (Irenäus, Euseb) verdienen also Zustimmung. Dagegen ist eine noch genauere Datierung auf Grund des Domitian-Edikts von 92 n. Chr. (Bousset) kaum möglich (Charles, Lohmeyer, Hadorn, Sickenberger, Wikenhauser), ohne daß andere Vorschläge (Hadorn, Wikenhauser) überzeugender wirken könnten. Neuerdings versucht Kraft, Apk 13 und 17 auf die letzten Monate der Regierungszeit Nervas († 98 n. Chr.) zu datieren; dieser gut begründete Vorschlag ist ohne Zweifel wert, beachtet und diskutiert zu werden.

3. Christus das Lamm (Apk 5, 6; 6, 16; 7, 17)

a) Bousset (1906)

Mit Nachdruck tut Bousset ältere Versuche ab, ἀρνίον in Apk 5, 6 (und sonst) zu streichen (S. 257). Die sieben Hörner deutet er als „Analogiebildung zu dem Tier mit den sieben Häuptern (Apk 13)"; „das Horn ist ein Symbol der Macht und Kraft", gemäß alttestamentlich-jüdischer Tradition (S. 258). Nach Sach 4, 10 sind die sieben Augen ein Attribut Jahwes, ursprünglich identisch mit den sieben Planeten; die Christologie der Apokalypse nimmt für den erhöhten Christus göttliche Würde in Anspruch (S. 258 f.). „Gleichsam geschlachtet" heißt das Lamm, weil es eine offene Wunde, vermutlich am Halse, trägt; es wird damit als Opfertier charakterisiert (S. 258).

Obgleich Bousset ἀρνίον mit Lamm, nicht mit Widder übersetzt, versteht er das Lamm als messianisches Symbol: Der Apokalyptiker schreibt das Weltgericht (Apk 6, 17) dem Messias zu; deshalb erweitert er in Apk 6, 16 eine Vorlage nach Art von Jes 2, 10.19 durch die ausdrückliche Erwähnung des „Zornes des Lammes" (S. 275). Wo von der Führerfunktion des ἀρνίον die Rede ist (Apk 7, 17), denkt Bousset an das Bild vom Hirten (Ps 23, 1–3; Joh 10, 1 ff.) und eine alttestamentliche Parallele wie Jes 49, 9 f. (S. 178 und 287).

b) Charles (1920)

Auch Charles betont die Beziehung zwischen dem „gleichsam geschlachteten" ἀρνίον und der Ohnmacht des Lammes, insbesondere nach Jes 53, 7 und Jer 11, 19; die Todeswunden von Apk 5, 6 deutet Charles als Zeichen für den Vollzug des Opfers (I, S. 141). Dagegen sind die sieben Hörner, in Aufnahme alttestamentlicher Belege, Symbole der Macht und königlicher Würde (S. 141). Während das Bild vom gleichsam geschlachteten ἀρνίον von Jes 53, 7 abzuleiten sei, führt Charles die sieben Hörner auf apokalyptische Traditionen zurück (äth Hen 90, 9; Test Jos 19, 8 f.); unter dem Bild des gehörnten Widders (Test Jos 19, 8 f.) oder Stiers (äth Hen 90, 37) beschreibt das Judentum den Messias als allgewaltigen Krieger und König (S. 141). Sein Gegenstück findet der Christus der Apokalypse im siebenköpfigen Tier von Apk 13, 1 (S. 141). Die sieben Augen, identisch mit Gottes sieben Geistern, stammen aus Sach 4, 10 und bezeichnen dort Jahwes Allwissenheit (S. 141); im Hintergrund stehen astralmythologische Vorstellungen von sieben Sternen bzw. Sternenengeln (S. 142 und S. 12 f.).

In Apk 6, 16 ist nach Charles (gegen Vischer, Spitta, Weyland, Völter, J. Weiß u. a.) die Erwähnung des „Zorns des Lammes" ursprünglich und nicht etwa zu streichen. Das ἀρνίον stehe für den vom Judentum als Weltrichter erwarteten Messias (vgl. äth Hen 69, 27 und Apk 22, 12) (S. 182 f.). Dagegen denkt Charles bei Apk 7, 17 nur an die Hirtenfunktion Jesu (Joh 10, 11; vgl. u. a. Ps 23, 1.3), nicht an die Leithammelfunktion des Widders (S. 216 f.).

c) Lohmeyer (1926)

Im Bild vom Lamm (Apk 5, 6) treffen sich nach Lohmeyer die Gottesknechtsymbolik von Jes 53, 1 ff. (welche Stelle nach Apg 8, 32; 1 Petr 2, 22–25 „messianisch verstanden und auf Christus gedeutet" werden konnte) und die jüdische Bezeichnung des Messias als eines „Lammes" – Lohmeyer vermeidet den Ausdruck „Widder" – Test Jos 19, 1–11 (vgl. äth Hen 89); „aus einer solchen Tradition muß dann die Bezeichnung in das Urchristentum eingedrungen sein" (S. 54). Skeptisch beurteilt Lohmeyer „die Versuche, das Bild vom Lamm mit dem Sternbild des Widders in Verbindung zu bringen", da so der Zusatz „gleich wie geschlachtet" nicht erklärt werden könne; im Opfertod des Lammes jedoch sieht Lohmeyer „das für den Inhalt der Vision entscheidende urchristliche Motiv" (S. 55).

Nur in Apk 6, 16 sei vom Zorne Christi die Rede; dennoch hält Lohmeyer eine Streichung der Wendung, in der er eine „Reminiszenz an Jes 2, 10.19" sieht, für willkürlich (S. 66). Zu Apk 7, 17 schreibt Lohmeyer, dem Seher sei „das schöne Bild von dem Lamme zu danken, das die Herde leitet" (S. 72); ohne auf diese eher einem Leithammel zukommende Funktion näher einzugehen, führt Lohmeyer alttestamentliche und jüdische Parallelen zum Hirtenbild (Ps 23 [22], 1 ff.; Jes 49, 10) an (S. 73).

d) Hadorn (1928)

Hadorn lehnt bezüglich Apk 5, 6 ältere Konjekturen und Streichungsvorschläge ab; der religionsgeschichtlichen Forschung dankt er „neue Wege ... durch den Nachweis von Beziehungen zwischen ἀρνίον und dem Widder im Tierkreis" (S. 76). Spitta (III Nr. 439) habe die Bedeutung „Widder", Boll (III Nr. 51) den astralen Hintergrund wahrscheinlich gemacht (S. 77). Freilich warnt Hadorn davor, diese „Entdeckungen" zu überschätzen; auch künftig möchte er ἀρνίον mit „Lamm", nicht mit „Widder" übersetzt wissen; dennoch begrüßt er das Ende der „weichlichen Spielerei mit dem Lämmlein", nachdem erkannt sei, „daß es sich bei dem geschlachteten Lamm der Offenbarung um ein kraftvolles und majestätisches Bild handelt" (S. 77). Die „astralmythologische Beziehung zum Sternbild des Widders" erbringe „den stringenten Beweis ..., daß ἀρνίον ursprünglich in den ganzen Zyklus: Thron, 7 Geister, 4 Gestalten, 24 Ältesten, hineingehört" (S. 77).

Diese religionsgeschichtlichen Nachweise, „gewissermaßen zur Paläontologie der Eschatologie" gehörig, dürfen freilich nicht vergessen lassen, daß für den Apokalyptiker das Lamm kein Sternbild ist, „sondern der gekreuzigte Christus, der Gott gegenüber sich als das Lamm hingegeben hat" (S. 77). Das noch sichtbare Wundmal des Lammes zeigt an, daß dieses einst geschlachtet worden ist; es handelt sich nach Hadorn um das „spezifisch christliche" Bild vom Passalamm sowie um Anklänge an Jes 53 (S. 77). Hinsichtlich der sieben Augen verweist auch Hadorn auf Sach 4, 10 und betont die Tatsache, daß aus den sieben Augen Gottes solche des Lammes geworden sind (S. 77). Der „Zorn des Lammes" (Apk 6, 16) ist keine Contradictio in adjecto, da nicht das „Lämmlein", sondern der kraftvolle Messias als Weltrichter gemeint ist (S. 88). Dagegen denkt Hadorn beim Lamm als Hirten (Apk 7, 17) nicht an die Funktion des führenden Widders bzw. Leithammels (S. 97).

e) Sickenberger (1942)

Die Einheit von Schwäche und Kraft, von Ohnmacht und Macht im Bilde des gehörnten Lammes von Apk 5, 6 betont Sickenberger. Als ein Lamm (vgl. Joh 1, 29), „das an sich schon ein schwaches und zahmes Tier darstellt", noch dazu mit der tödlichen Stichwunde am Halse, erscheint Christus nach Jes 53, 7 (vgl. Apg 8, 32), weil ihn „der Kreuzestod . . . zum Opferlamm gemacht" hat (S. 75). Dagegen sind die sieben Hörner Symbole der göttlichen Macht, die sieben Augen (nach Sach 4, 10) – diese identisch mit den sieben Geistern (Apk 1, 4) und Fackeln (Apk 4, 5) – Zeichen des göttlichen Wissens (S. 75).

In seiner Erklärung von Apk 6, 16 und 7, 17 setzt Sickenberger ἀρνίον und Christus ohne weiteres gleich; die beim Gericht Verurteilten sind „Gegenstand des Zornes Christi" (S. 86), während Jesus als der gute Hirte (Apk 7, 17 wie Joh 10, 11) seine Herde „zu himmlischen Wasserquellen, die Leben spenden", führt (S. 92).

f) Wikenhauser (1959)

Wikenhauser interpretiert ganz ähnlich wie Sickenberger das Lamm, mit der „Narbe des Stiches oder Schächtungsschnittes" am Hals, auf die Niedrigkeit des Gekreuzigten, der mit dem leidenden Gottesknecht von Jes 53, 7 identifiziert wird (S. 56). Dagegen symbolisieren die sieben Hörner die Fülle der Macht und Stärke des himmlischen Christus sowie die sieben Augen die Fülle seines Wissens. Auf der Grundlage der messianisch verstandenen Stelle Sach 4, 10 deutet der Apokalyptiker „die Augen auf die sieben über die ganze Welt ausgesandten Gottesgeister" (S. 57). „Versteht man unter den sieben Geistern … den einen siebenfältigen Gottesgeist, so wird man an die Sendung des Heiligen Geistes durch den erhöhten Christus zu denken haben (Lk 24, 49; Gal 4, 6; Joh 20, 22)" (S. 57).

Zu Apk 6, 16; 7, 17 stellt Wikenhauser keine Erwägungen über die Funktion des ἀρνίον an. Die Gottlosen fürchten „den Anblick des zornergrimmten Richters" (Apk 6, 16; S. 65), während Christus die Seinen „weidet und zu den Wasserquellen des ewigen Lebens führt" (Apk 7, 17 nach Jes 49, 10; Ps 23 [22], 2; S. 70).

g) Kraft (1974)

In einem großen Exkurs zu Apk 5, 6 behandelt Krafts Kommentar „Das Lamm" (S. 107–110). Gemäß seinen Prämissen vom Apokalyptiker als dem urchristlichen Propheten betont Kraft vor allem die alttestamentlichen Voraussetzungen und Parallelen zu den neutestamentlichen Stellen, die von Jesus als dem Lamm handeln: Jer 11, 18 f. und Jes 53 (S. 108). Demgegenüber ist ihm äth Hen 89 f. wenig belangvoll, und Test Jos 19, 8 hält er für christliche Interpolation; für den Messias als Lamm sind beide Stellen ohne Bedeutung (S. 108).

„Erst nachdem Jesus nicht nur mit dem Gottesknecht, sondern auch mit dem Lamm von Jes 53 gleichgesetzt worden war, ließ sich sein Tod als der des Opferlammes oder Passalammes verstehen" (S. 109). Durch Verbindung des Lammes mit der Figur des Hirten erhält das Bild einen messianischen Sinn (S. 109); Apk 7, 17 ist auf „das Weiden der Schafe durch den guten Hirten" nach Ps 23 zu deuten (S. 131). Die sieben Hörner (Apk 5, 6) kennzeichnen das Lamm „als den Träger siebenfacher göttlicher Macht"; die Aussagen über sieben Augen und sieben Fackeln gehen auf eine Kombination von Sach 4, 10 mit Jes 11, 2 LXX zurück (S. 110). Zufolge Apk 6, 16 („Zorn des Lammes") ist das Lamm als Weltenrichter aufzufassen (S. 123).

Stellungnahme

Alle unsere Ausleger sind sich zu Recht darin einig, daß die Tilgung der ἀρνίον-Stellen aus der Apokalypse ein Akt der Willkür wäre; in der Tat ist die Beschreibung des erhöhten Herrn unter dem Bilde des ἀρνίον ein wesentlicher Bestandteil der Christologie der Apokalypse. Denjenigen Auslegern ist zuzustimmen, die in Apk 5, 6 sowohl die Ohnmacht als auch die Macht des himmlischen Messias bezeugt finden (Hadorn, Sickenberger, Wikenhauser). Es trifft jedoch nicht zu, daß schon die Gestalt des Lammes an sich auf die Seite der Niedrigkeit gehört (gegen Bousset, Sickenberger, Wikenhauser, Kraft). Vielmehr ist die Erkenntnis Spittas (III Nr. 439) ernstzunehmen, daß ἀρνίον besser mit „Widder" als mit „Lamm" zu übersetzen wäre (vgl. Charles, Hadorn); sowohl die sieben Hörner des ἀρνίον (Apk 5, 6) als auch sein Zorn (Apk 6, 16) und seine Leittierfunktion (Apk 7, 17) gehören in diesen Zusammenhang. Kosmische Würde erhält der Messiaswidder durch Gleichsetzung mit dem Sternbild (seit Boll, III Nr. 51); dazu passen die sieben Augen = sieben Sterne von Apk 5, 6 nach Sach 4, 10 (Charles, Hadorn). Die Identifikation mit dem Gekreuzigten erfolgt durch die Nennung des sichtbaren Wundmals (Apk 5, 6); der siegreiche Messiaswidder ist zugleich das geschlachtete Opferlamm (Charles, Lohmeyer, Hadorn, Sickenberger; ähnlich Wikenhauser).

4. Die apokalyptischen Reiter (Apk 6, 1–8)

a) Bousset (1906)

Zufolge Bousset entstand die Vision von den vier apokalyptischen Reitern (bzw. den ersten vier Siegeln) durch Verknüpfung der mythologischen Götterboten von Sach 1, 8; 6, 1 ff. mit den drei Plagen Schwert – Hungersnot – Tod, die das Alte Testament (Jer 14, 12; 15, 2; 21, 7 u. ö.) für die messianischen Wehezeiten erwartet (S. 264 f.). Der Apokalyptiker habe das zweite, dritte und vierte Pferd mit Schwert, Hungersnot und Tod verbunden, wobei die traditionellen Farben Rot und Schwarz gut paßten, während für das Todespferd die Leichenfarbe gewählt wurde (S. 265). Das weiße Pferd sei übriggeblieben und daher an den Anfang gestellt worden – offenbar eine „eigne Idee" und „originelle Wendung" des Apokalyptikers. „Wir werden also gerade hier nach Anknüpfungspunkten in der Zeitgeschichte des Apokalyptikers suchen" (S. 265). „Abzuweisen ist daher auch die rein symbolisierende Deutung des ersten Rosses, nach welcher hier einfach die Personifikation des Krieges oder Sieges gefunden wird. Man darf eben das erste Siegel nicht analog den andern erklären" (S. 265).

Der erste Reiter ist nach Bousset nicht identisch mit dem Reiter von Apk 19, 11 ff. und darf nicht auf den wiederkehrenden Christus gedeutet werden (S. 265). Vielmehr muß eine zeitgeschichtliche Deutung erfolgen. Roß und Bogen lassen an die Parther denken: „Der Apokalyptiker ... weissagt wirklich von einer zukünftigen sieghaften Ausdehnung des Partherreiches und sah in dieser noch zu erwartenden Tatsache das erste Vorzeichen vom Ende" (S. 266).

Der zweite Reiter ist ein „Symbol des Krieges und des Blutvergießens", eine „stereotyp gewordene Weissagung . . ., die zeitgeschichtlich nicht gedeutet werden darf" – auch nicht auf eine drohende Christenverfolgung (S. 267).

Der dritte Reiter verkörpert „die Plage der Hungersnot", wobei die Waage zum Abwägen des verteuerten Getreides dient. Hier möchte Bousset wieder zeitgeschichtlich deuten und schließt sich der These von S. Reinach bezüglich des Domitian-Edikts von 92 n. Chr. an (S. 267 f. und S. 135; siehe oben II 2).

Der vierte Reiter sei nicht als Pest, sondern als Tod schlechthin aufzufassen, als „der Herr über alle die Todesgefahren, die im folgenden aufgezählt werden". Hades erscheint personifiziert, als Diener des Todes und offenbar gleichfalls beritten (S. 268). Die „Aufzählung der Werkzeuge des Todes" (Schwert, Hungersnot, Pest, wilde Tiere) geht zurück auf Lev 26, 22; Ez 5, 17; 14, 21 (S. 268 f.). „Eine zeitgeschichtliche Deutung verbietet hier wieder von vornherein die ganz allgemein gehaltene Schilderung" (S. 269).

b) Charles (1920)

Die Vision der ersten vier Siegel ist nach Charles in ihrem Inhalt bestimmt von den Wehen der judenchristlichen Apokalypse Mk 13, 7 ff. parr.; ihre Form geht zurück auf Sach 1, 8; 6, 1–8. Freilich hat der Apokalyptiker die Boten, die Gott in die vier Himmelsrichtungen sendet, in Werkzeuge der Zerstörung verwandelt (S. 161 f.).

Der erste Reiter wird durch das weiße Reittier als Triumphator gekennzeichnet; er symbolisiert den Krieg (S. 162). Dazu kommt ein sekundärer, zeitgeschichtlicher Bezug auf die mit Schimmel und Bogen ausgerüsteten Parther (S. 163). Die Deutung auf den Krieg schreibt Charles der ursprünglichen Quelle, die Beziehung auf die Parther dem Apokalyptiker zu (S. 164). Andere Deutungen weist er ab (S. 163), insbesondere die „positiven" auf den Messias (nach Apk 19, 11 ff.) oder den Siegeslauf des Evangeliums; der erste Reiter sei genau wie die drei folgenden als Wehe (vgl. Mk 13, 8) zu interpretieren (S. 164).

Der zweite Reiter ist nach Charles „ein Symbol des Völker- und Bürgerkrieges" (vgl. Mk 13, 8 parr.); das Schwert (vgl. äth Hen 90, 19) darf nicht auf Rom gedeutet werden, sondern ist das Mittel, um innen- und außenpolitischen Hader herbeizuführen (S. 164 f.).

Der dritte Reiter samt dem schwarzen Pferd symbolisiert die Hungersnot (S. 166). Der zeitgeschichtlichen Fixierung mit Hilfe des Domitian-Edikts von 92 n. Chr. begegnet Charles skeptisch; allenfalls als Anlaß zur Aufnahme der alten eschatologischen

Erwartung einer Teuerung will er das Edikt gelten lassen (S. 167 f.).

Der vierte Reiter ist für Charles nicht der Tod schlechthin, sondern, was ϑάνατος auch heißen kann, die Pestilenz, freilich reitend auf dem Roß mit der gelblich-bleichen Farbe des Todes (S. 169–171). Als Interpolationen tilgt Charles sowohl die Erwähnung des Hades (S. 170) als auch den ganzen Schluß von Vers 8 c, also die Nennung von Schwert, Hungersnot, Pestilenz (Dublette zum ϑάνατος V. 8 b!) und wilden Tieren (S. 171).

c) Lohmeyer (1926)

Wie Charles verweist auch Lohmeyer auf die vier Plagen von Mk 13, 8 parr. (S. 58) und auf die Vision der Rosse in Sach 1, 8; 6, 1 ff. (S. 59). Freilich sei aus dem Mythus der Sacharja-Vision ein „apokalyptisches Symbol" geworden, wobei der ursprüngliche Sinn (Himmelsrichtungen, Winde) so gut wie verlorengegangen sei (S. 59).

Der erste Reiter bezeichnet nach Lohmeyer „die Plage des (auswärtigen) Krieges, d. h. den Zusammenbruch der politischen Macht" (S. 60). Hier entdeckt selbst Lohmeyer einen „zeitgeschichtlichen Bezug": Es sind die Angriffe der bogenbewehrten Parther, die durch die weiße Farbe des Siegers „als Sieger verherrlicht" werden. „So sind alle Züge einzeln deutbar und aus zeitgeschichtlichen Motiven zwar nicht entstanden, aber auf sie bezogen" (S. 60).

Der zweite Reiter symbolisiert „das Entstehen allgemeiner innerer blutiger Wirren, den Zusammenbruch des inneren Friedens" (S. 60). Hier sind Lohmeyer zufolge „konkrete zeitgeschichtliche Bezüge ... nicht zu entdecken, aber auch nicht ausgeschlossen" (S. 60).

Der dritte Reiter meint „offenbar die Hungersnot"; er führt als Attribut die Waage, weil „jedem seine Ration zugewogen werden muß" (S. 60). Zeitgeschichtliche Bezüge, darunter das Edikt Domitians von 92 n. Chr., weist Lohmeyer ebenso zurück wie analoge Erwartungen der jüdischen Eschatologie, doch hält er einen Zusammenhang mit dem Sternbild „Waage" für möglich (S. 61).

Der vierte Reiter sei, meint Lohmeyer, durch Interpolationen einer klaren Deutung entzogen. Der vorliegende Text denkt offenbar an den Tod schlechthin, gefolgt von Hades, der vielleicht „als Knappe zu Fuß verstanden" ist (S. 61). Wenn die Erwähnung des Hades als späterer Einschub zu streichen wäre, desgleichen das Zitat aus Ez 14, 21 – die Nennung von Schwert, Hunger, Tod bzw. Pest und wilden Tieren –, dann bedeutete der Name des vierten Reiters nicht „Tod", sondern „Pest" (S. 62).

d) Hadorn (1928)

Hadorn akzeptiert und erörtert die mythologischen bzw. religionsgeschichtlichen Voraussetzungen der apokalyptischen Reitervision; er verweist auf die Abhängigkeit von Sach 1, 7–15; 6, 1–8 (S. 83) und die Farben der vier Himmelsrichtungen (S. 84). Von den vier Planeten Jupiter, Mars, Merkur und Saturn möchte er weniger die Farben als vielmehr die Funktionen der Reiter (Herrscher, Kriegsgott, Handelsgott, Unheilbringer) ableiten; auch eine Beziehung zu den vier Tierkreiszeichen Löwe, Jungfrau, Waage und Skorpion (nach Boll) hält Hadorn für möglich (S. 84). Auf solchem, im einzelnen fraglichen Hintergrunde habe der Apokalyptiker, „inspiriert durch die Nachtgesichte des Sacharja", „etwas ganz Neues und Originales" geschaffen (S. 84 f.), nicht zuletzt infolge einer deutlich „zeitgeschichtlichen Beziehung" von Apk 6, 1–8, die Hadorn auf die Belagerung Jerusalems durch Titus deutet (S. 83).

Der erste Reiter ist ihm Sieger und Triumphator, speziell der „nach Sieg und Ruhm verlangende Imperialismus der Weltreiche" oder auch der siegreiche Feind von außen (S. 82). In zeitgeschichtlicher Deutung sei dieser Sieger und ruhmvolle Krieger entweder ein Symbol des römischen Imperiums (S. 83) oder der bogenführenden „siegreichen Partherscharen im Jahre 62 n. Chr." (S. 84).

Der zweite Reiter bezeichnet die „Wegnahme des Friedens von der Erde", das „gegenseitige Niedermetzeln in Bürgerkriegen", evtl. den Bürgerkrieg überhaupt (S. 82).

Der dritte Reiter symbolisiert „Hungersnot und Teuerung"; die Waage dient dem Abwägen des rationierten Quantums (S. 82). Die zeitgeschichtliche Deutung sei nicht auf das Edikt Domitians von 92 n. Chr., sondern (mit S. Krauß nach Jos Bell 5, 409) auf eine Maßnahme des Titus während der Belagerung Jerusalems zu beziehen (S. 83).

Der vierte Reiter schließlich ist nach Hadorn das Massensterben, wobei „Tod" und „Pest" nicht unterschieden werden müssen; den Reiter auf leichenfarbenem Roß begleitet der Hades (S. 83).

e) Sickenberger (1942)

Für Sickenberger ist wichtig, daß die vier Reiter nicht zu den (u. U. auch strafenden) Engeln gehören, sondern eigens in den Himmel hineingerufen werden müssen, um dort „vor Gottes Thron" ihre „Weisungen und Vollmachten" zu empfangen; kriegerische Reitergestalten sind „eine passende Erscheinungsform für böse Geister, die von Gott die Gewalt erhielten, die gesamte Menschheit in schrecklicher Weise zu quälen" (S. 79). Als Vorbild der Vision hat Sach 1, 8 ff.; 6, 1 ff. gedient; diese alttestamentliche Vorlage ist nach Sickenberger schuld daran, daß der erste Reiter eine himmlische Farbe, die drei anderen jedoch höllische Farben tragen (S. 79). Die dämonischen Gottesboten „bringen der Welt ‚den Anfang der Wehen' (Mk 13, 8 par.)" (S. 80). Sickenberger hält es für „ausgeschlossen, die Plagen zeitgeschichtlich auf Einfälle der Parther oder Römer zu deuten . . ." (S. 82); auch die u. a. von Boll aufgezeigten Beziehungen zu den Sternbildern Schütze und Waage erscheinen ihm „künstlich und gewaltsam konstruiert" (S. 82 f.). „Sonach kann nur eine Erklärung befriedigen, die in dem Erscheinen der vier

Reiter von Gott, sei es als Strafe, sei es als Prüfung, zugelassene Heimsuchungen der Menschheit durch dämonisch verursachte Plagen erblickt" (S. 83).

Der erste Reiter erscheint als Triumphator; als Bogenschütze soll er (vgl. Jes 13, 18) „Menschen aus der Ferne töten" (S. 80). Er darf nicht „mit dem Logosreiter Apk 19, 11 ff., also mit Christus selbst" gleichgesetzt werden (S. 80); eine zeitgeschichtliche Deutung erwägt Sickenberger nicht.

Der zweite Reiter ist der Kriegsdämon; er führt das Schwert (vgl. Mt 10, 34) als Symbol des Massenmordes (S. 80).

Der dritte Reiter verkörpert die Hungersnot; sein Attribut, die Waage, erinnert daran, daß in Teuerungszeiten die Nahrungsmittel „in kleinen Mengen gegen viel Geld zugewogen" werden (S. 81). Die Hungersnot soll nach Sickenberger so weit gehen, daß „vor Verderbenlassen oder Verschwendung" von Öl und Wein gewarnt werden muß; die zeitgeschichtliche Deutung auf ein Edikt Domitians bezüglich teilweiser Vernichtung der kleinasiatischen Weinberge dagegen „paßt nicht in den Zusammenhang" (S. 81).

Der vierte Reiter stellt „den Höhepunkt dieser Plagen" dar; er sowohl, namentlich als Thanatos (Tod) gekennzeichnet, als auch sein Begleiter, Hades, sind böse Geister (vgl. Apk 1, 18; 20, 13 f.). Beider Mittel sind die Strafgerichte, die Ez 14, 12–21 Jerusalem angedroht werden (Apk 6, 8 c nach Ez 14, 21): Schwert, Hunger, Pest und wilde Tiere (S. 82).

f) Wikenhauser (1959)

Wikenhauser erkennt den traditionsgeschichtlichen Zusammenhang mit Sach 1, 8 ff.; 6, 1 ff., doch erblickt er „keine stärkeren inneren Beziehungen" zwischen Sacharja und Apk 6 (S. 58). Er vermutet einen zeitgeschichtlichen Hintergrund: den seit dem Sieg des Partherkönigs Vologäses (62 n. Chr.) verbreiteten Gedanken, Rom werde „schließlich von einer orientalischen Macht vernichtet" (S. 59). „Die vier Reiter sind keine Strafengel, sondern werden als allegorische Personifikationen der durch sie bewirkten Plagen anzusehen sein" (S. 60).

Der erste Reiter, der siegreiche Krieger, wird Wikenhauser zufolge durch das weiße Roß und den Bogen als Parther gekennzeichnet; da alle vier Reiter Plagen bringen, kann der erste Reiter nicht auf Christus oder das Evangelium gedeutet werden (S. 59). Schwert, Hunger und Pest, die Plagen des zweiten, dritten und vierten Reiters, sind Folgen des feindlichen Einbruchs der Parther in das römische Reich (S. 59).

Der zweite Reiter symbolisiert „die blutigen Kämpfe, welche die Invasion der feindlichen Heere zur Folge hat" (S. 59).

Der dritte Reiter „bringt Mißernte und als Folge Teuerung und Hunger"; der zeitgeschichtliche Hintergrund kann erhellt werden durch ein 1924 entdecktes Edikt des L. Antistius Rusticus, wonach „im Jahre 92 oder 93 in Kleinasien eine ausgedehnte Hungersnot" herrschte, welche „die Zwangsbewirtschaftung des Getreides und die Festsetzung von Höchstpreisen nötig machte" (S. 59).

Der vierte Reiter, „auf fahlem (= leichenfarbenem) Roß", heißt Tod. Ihn begleitet, gleichsam als Knappe und möglicherweise „hinter ihm auf demselben Pferd" sitzend, Hades, „um die Toten in Empfang zu nehmen" (S. 60). Die tötenden Waffen sind die Strafgerichte von Ez 14, 21, Schwert, Hunger, wilde Tiere und Pest (S. 60).

g) Kraft (1974)

„Daß die vier Reiter miteinander ausgelegt werden müssen, sollte nicht in Frage stehen"; sie stellen „insgesamt eine Serie von Plagen" dar (S. 114). Die Visionen Sach 1, 7 ff. und Sach 6, 1 ff. „stehen in losem Zusammenhang mit unserem Text" (S. 114). Die vier Reiter sind „keine widergöttlichen Mächte", da sie „durch einen Befehl der Thronengel in Marsch gesetzt" werden (S. 115). Von den zahlreichen Deutungen der apokalyptischen Reiter erscheint Kraft nur die von Boll vorgetragene astrale erwähnenswert: Die Reiter entsprechen – „ein merkwürdiges Zusammentreffen" – den Tierkreiszeichen Löwe, Jungfrau, Waage und Skorpion (S. 118).

Der erste Reiter wird durch sein weißes Pferd als Sieger, durch den Kranz als Triumphator gekennzeichnet; „da er einen Bogen führt, ist nicht an einen Römer zu denken, sondern an einen Barbaren" (S. 116). Kraft ist gegenüber zeitgeschichtlichen Deutungsversuchen skeptisch, „da es sich um einen eschatologischen Reiter mit einer eschatologischen Plage handelt"; immerhin nennt er als Bezugsmöglichkeit die Parther, ohne andere Reitervölker auszuschließen (S. 116). „Die Plage, die durch / diesen Reiter ausgedrückt wird, ist somit nicht der Krieg, sondern der verlorene Krieg; die Niederlage ist die Voraussetzung für die Plage, die der zweite Reiter bringt" (S. 116 f.).

Der zweite Reiter bedeutet das Ende des Kaiserfriedens und den „Kampf aller gegen alle" (S. 117).

Der dritte Reiter symbolisiert Hungersnot und Teuerung; die Waage als sein Attribut deutet „auf Hunger und Rationierung" (S. 117). Daß zwar Weizen und Gerste, aber nicht Öl und Wein geschädigt werden, erklärt Kraft mit dem Unterschied zwischen einjährigen (Getreide) und mehrjährigen Kulturen (Öl, Wein); wie das Blutvergießen (2. Reiter) ist auch der Hunger eine Folge des Krieges (S. 117).

Der vierte Reiter ist der Tod; statt eines Attributs führt er den Hades mit sich (S. 115). Im besonderen ist an den Tod durch Seuchen zu denken (S. 117); eine Zusammenfassung der Todesarten, abhängig von Ez 14, 21, schließt die vierte Siegelvision ab (S. 118).

Stellungnahme

Alle Kommentatoren stimmen darin überein, daß die Vision der apokalyptischen Reiter traditionsgeschichtlich von Sach 1, 8; 6, 1–8 abhängig ist. Auch die Auffassung, daß der erste Reiter nicht isoliert von den drei anderen gedeutet werden darf, also nicht etwa mit dem Messiasreiter von Apk 19, 11–16 identisch ist, hat sich allgemein durchgesetzt. In der Einzelerklärung der

Reiter unterscheiden sich die Ausleger nur in Nuancen; am einleuchtendsten wirkt Lohmeyers Deutung auf Völkerkrieg, Bürgerkrieg, Hungersnot und Tod bzw. Seuchentod (ähnlich Hadorn und Kraft). Dabei sind zeitgeschichtliche Bezüge mit zu bedenken (gegen Sickenberger und Kraft); alles spricht für die Identifikation des ersten Reiters mit den Parthern (Bousset, Charles, Lohmeyer, Hadorn, Wikenhauser). Auch astrale Hintergründe sollten gesehen werden (Lohmeyer, Hadorn, Kraft; gegen Sickenberger).

5. Die 144 000 (Apk 7, 2–8; 14, 1–5)

a) Bousset (1906)

In Apk 7, 2–8 übernimmt zufolge Bousset der judenchristliche Apokalyptiker eine jüdische Tradition von der „Versiegelung von 144 000 Juden aus den 12 Stämmen" (S. 283); diese Tradition steht im Zusammenhang der spätjüdischen Hoffnung, am Ende der Tage werde das Zwölfstämmevolk erneuert (S. 284). Die Versiegelung, von Ez 9, 4 ff. her zu verstehen, gehört in den Bereich des Amulettglaubens (S. 368 f. zu Apk 13, 16) und soll die Frommen vor dem Verderben bewahren; für den Apokalyptiker werden aus den Gläubigen Israels die bekehrten Judenchristen (S. 287–289).

Apk 14, 1–5 ist nach Bousset ein Fragment aus derselben Quelle wie Apk 7, 2–8; die 144 000 waren also ursprünglich hier und dort identisch, doch will der Apokalyptiker in Apk 14 „andre 144 000 verstanden haben" als in Apk 7 (S. 380). In der benutzten Tradition stand Apk 7 am Anfang, Apk 14 am Ende der „apokalyptischen Erzählung": „Die 144 000, die dort versiegelt wurden, sind hier schon errettet" (S. 383). Der Apokalyptiker bezieht die 144 000 auf die „Märtyrer und Asketen unter den Gläubigen", mit denen das Lamm im 1000jährigen Reich regiert (vgl. Apk 20, 4 ff.); „das Bild ist also vom Apokalyptiker proleptisch gedacht" (S. 383).

b) Charles (1920)

Apk 7, 2–8 berichtet von der Versiegelung (nach Ez 9, 4) der 144 000 Glieder des geistlichen Israel (I, S. 203 und 206). Die Zahl 144 000 bedeutet zugleich Vollkommenheit und Fülle (12 × 12 × 1000), aber als Zahl der Gläubigen in der gegenwärtigen Generation ist sie eine endliche Zahl (S. 206). Handelte die Quelle des Apokalyptikers von den Gläubigen des buchstäblichen Israel, so versteht die Apokalypse unter den Versiegelten aus den zwölf Stämmen das geistliche, wahre Israel (S. 206 f.).

Apk 14, 1–5 hält Charles für eine proleptische „Vision der verherrlichten Märtyrer mit dem Lamm auf dem Zionsberg während des tausendjährigen Reichs" (II, S. 2 und 4). Die 144 000 von Apk 14 sind „dieselben wie die 144 000 in Apk 7, 4–8, d. h. das geistliche Israel, die ganze christliche Gemeinde aus Juden und Heiden, welche versiegelt wurden, um sie vor den bald folgenden dämonischen Wehen zu schützen" (S. 4). Der Unterschied von Apk 14 zu Apk 7 besteht darin, daß die dort Versiegelten jetzt bereits die Todespforten durchschritten haben und Gott als ἀπαρχή dargebracht worden sind; zur Erde zurückgekehrt, haben die Heiligen teil am tausendjährigen Reich (S. 5).

Von den Versen Apk 14, 4 und 5 hält Charles den größeren Teil für Interpolation (S. 2); am gravierendsten erscheint ihm die Einfügung von V. 4 a.b, nämlich die Betonung der sexuellen Enthaltsamkeit und Jungfräulichkeit der 144 000 (S. 8). Charles schreibt diesen Einschub dem mönchisch-zölibatär gesonnenen Herausgeber der Apokalypse zu und erklärt ihn als Folge eines Mißverständnisses des Begriffes ἀπαρχή (S. 9).

c) Lohmeyer (1926)

In seiner Auslegung von Apk 7, 2–8 erklärt Lohmeyer die „Siegelung" auf Grund mandäischer und gnostischer Parallelen, während er diesen Zug sich mit Ez 9, 4 nur berühren läßt

(S. 68 f.); „hier ist Siegelung = Schutz vor apokalyptischem Unheil" (S. 69). Da im Neuen Testament die christliche Gemeinde häufig als „Israel" angeredet und beschrieben wird, muß in Apk 7, 2–8 keine jüdische Quelle benutzt worden sein; auch die Nennung der Namen der Stämme ist kein Indiz für eine jüdische Quelle, da diese Namen „längst eine ideale Größe geworden" sind (S. 69). Die Zahl 12000 (und ihr Vielfaches 144000) ist „apokalyptisch, d. h. ihr Sinn ist nur der der religiösen Vollendung und Vollständigkeit"; Parallelen findet Lohmeyer in der mandäischen und persischen Literatur (S. 69).

Obgleich nach Apk 14, 3 die Vision vom Lamm unter den Gläubigen (Apk 14, 1–5) „nicht das irdische Zion, sondern allein das himmlische" im Auge hat (S. 121 f.), sind die 144000 von Apk 14, 1–5 mit denen von Apk 7, 4–8 identisch (S. 122). In Apk 7 sind es die Gläubigen vor, in Apk 14 nach dem großen Leiden, das die zwei weltbeherrschenden Tiere von Apk 13 über die Christen gebracht haben (S. 122). „Asketische Tendenzen" statten die ideale, vollendete Gemeinde mit dem Zuge geschlechtlicher Abstinenz aus; dabei werden nur Männer genannt, weil der Kontext vom Kampf – nämlich des Messias und der Seinen gegen den Antichrist – handelt (S. 123). Durch seinen Tod wird der Märtyrer zum „aktiven Kämpfer gegen den Satan" und zugleich sündlos, fehlerfrei wie das vom Kult geforderte Opfertier (S. 123).

d) Hadorn (1928)

Hadorn versteht in Apk 7, 2–8 die Versiegelung nach Ez 9, 4; der Apokalyptiker läßt sie geschehen zur Bewahrung vor dem Abfall (S. 91). Die Zahl 144000 beruht auf der Vollkommenheitszahl 12; sie symbolisiert die „vollständige Restitution der Stämme in der Auswahl", denn die „Wiederherstellung Israels durch die Wiederbringung der verlorenen Stämme" ist eine Hoffnung nicht nur der jüdischen, sondern auch der urchristlichen Eschatologie (Mt 19, 28; Jak 1, 1; vgl. Apg 1, 20) (S. 92).

Die Versiegelung ist, trotz der Aufzählung der zwölf Stämme, nicht auf geborene Juden beschränkt; die Heidenchristen kommen zu dem alten Gottesvolk hinzu und machen die zwölf Stämme voll (S. 93). „So wird man unter den 144 000 Versiegelten die beiden Teile der Gemeinde zu verstehen haben, die zusammen das wahre Israel bilden, wobei die judenchristliche Gemeinde den Grundstock stellt und die Form bildet – daher die 12 Stämme –, und die heidenchristliche das Gottesvolk in seiner ursprünglichen Anlage als Zwölfstämmevolk auf den gottgewollten Vollbestand bringt" (S. 93).

Apk 14, 1–5 beschreibt „die geborgene Gemeinde der 144 000 Versiegelten . . ., die unter dem Schutz des Lammes auf dem Zion vereinigt sind. Es sind die, welche sich nicht von den falschen Propheten verführen lassen . . ." (S. 148). Die 144 000 von Apk 14 sind mit denjenigen von Apk 7 identisch; sie bezeichnen die „Gemeinde Christi auf Erden in ihrer Gesamtheit" aus Juden- und Heidenchristen (S. 149; vgl. S. 93). Der Vers 4 meint zufolge Hadorn sittliche, speziell sexuelle Reinheit; er ist weder allegorisch auf Götzendienst noch streng wörtlich auf absolute sexuelle Abstinenz zu deuten: παρθένος muß mit „keusch" übersetzt werden – der Kampf ist gegen sexuelle Unzucht gerichtet (S. 150).

e) Sickenberger (1942)

Die Besiegelung in Apk 7, 2–8 erklärt zufolge Sickenberger die 144 000 zu „Gottes unverletzlichem Eigentum", womit Ez 9, 3–6 zu vergleichen ist (S. 88). In der Vision des Apokalyptikers werden aus dem Zwölfstämmevolk Israel so viele Tausende besiegelt, daß ihre Zahl „die himmlische Vollzahl 144 = 12 × 12" erreicht; sie verteilen sich „gleichmäßig auf alle zwölf Stämme" (S. 88). Jüdische Eschatologie hatte die Sammlung der zwölf Stämme erwartet (Jes 49, 6; Sir 48, 10); die Christen sehen sich als Erfüllung dieser Hoffnung (Gal 6, 16; Phil 3, 3) und gewinnen so Anteil an den Segnungen und Verheißungen für die alten zwölf Stämme Israels (Gen 48 f.; Dtn 33): auch das neue Israel ist ein Zwölfstämmevolk, vgl. Apk 21, 12 (S. 89).

In Apk 14, 1–5 erblickt der Seher Christus das Lamm mit seinem Gefolge „auf dem Berge Sion . . . Damit ist aber nicht der wirkliche Sion gemeint, sondern ähnlich wie in Kapitel 11 das Heiligtum der Christenheit oder der Kirche . . . Jesus und sein Gefolge befinden sich nach der Vision zweifellos auf Erden" (S. 137). Da nach 4 Esr 13, 35.39 der Messias auf dem Gipfel des Zion ein friedliches Heer um sich sammelt, kann Apk 14, 1–5 nur „das Kommen Jesu zu seiner Kirche und zu den Seinen" meinen. Eine Identität der 144 000 von Apk 14 mit denjenigen von Apk 7 lehnt Sickenberger ab; vielmehr handle es sich in Apk 14 um die „Elitetruppe Christi in den Endkämpfen" (S. 137). Dementsprechend sieht Sickenberger auch keine Beziehung zwischen den mit Namen beschriebenen Stirnen (Apk 14, 1) und der Besiegelung in Apk 7 (S. 137). Die 144 000 von Apk 14 sind Krieger des Lammes, Leibgarde Christi; als Zölibatäre „stehen sie . . . Jesus so vollkommen zur Verfügung, daß sie seine Nachfolge in allen Fällen durchführen . . ." (S. 138). Sie sind „Mitglieder der streitenden Kirche" (S. 139).

f) Wikenhauser (1959)

Zu Apk 7, 2–8 stellt Wikenhauser fest, daß die Besiegelung mit dem Siegelring einen Gegenstand oder ein Lebewesen (Tier, Sklave, Verehrer einer Gottheit) zum Eigentum des Siegelnden erklärt; Vorbild der Vision von Apk 7 ist die Bezeichnung der Frommen in Ez 9, 1 ff. (S. 66). In der Apokalypse bedeutet sie einerseits Begabung mit „überirdischer Kraft und Stärke zum todesmutigen Ausharren", andererseits Schutz vor den Strafgerichten der Endzeit (S. 67). Die Zahl 144 000 bezeichnet als „reine Gleichniszahl" die Vollständigkeit (12 × 12) und gewaltige Größe (× 1000) der Gemeinde der Besiegelten; die 144 000 sind jedoch nicht nur die Judenchristen, sondern „das ganze auf

Erden lebende Gottesvolk, Juden- und Heidenchristen", das „neue Gottesvolk", das an die Stelle des alten getreten ist (S. 67). Mit Hadorn deutet Wikenhauser die 144 000 als Erfüllung der jüdisch-eschatologischen Hoffnung auf Wiederherstellung des israelitischen Stämmebundes, wobei die judenchristliche Gemeinde als Grundstock und Form des wahren Israel dient, das durch Heidenchristen auf den Vollbestand der zwölf Stämme gebracht wird (S. 67 f.).

Die 144 000 von Apk 14, 1–5 sind mit denjenigen von Apk 7, 2–8 identisch (S. 111). Der Berg Zion meint das irdische, nicht das himmlische Zion, denn die 144 000 sind noch den Angriffen der feindlichen Welt ausgesetzt (S. 111). Die „Jungfräulichen" von Apk 14, 4 sind nach Wikenhauser keine Asketen, sondern, nach prophetischer Redeweise, solche Menschen, die sich „von der ‚Unzucht' des Götzendienstes (Apk 14, 8) freigehalten haben" (S. 112). Als durch das Blut des Lammes Erkaufte sind die 144 000 „Opfer- und Weihegabe für Gott und das Lamm" (S. 112 f.).

g) Kraft (1974)

Nach Kraft korrespondiert die Apk 7, 2–8 berichtete Versiegelung mit den Stämmenamen auf dem Brustschild des alttestamentlichen Hohenpriesters; die Bezeichnung der Stirn erinnert an das hohepriesterliche Stirnblatt (S. 125). Literarisches Vorbild für Apk 7 ist Ez 9, 4; im Hintergrund steht wohl Ex 12, 7 „und vielleicht auch die Beschneidung" (S. 126). Schon früh hat die Urchristenheit die Versiegelung (Konsignation) mit dem kreuzförmigen Taw bzw. Chi mit der Taufe verbunden; bei Hermas sind Taufe und Versiegelung bereits identisch. Die in Apk 7 zu Versiegelnden sind Ungetaufte; deshalb „muß es sich um den heiligen Rest Israels handeln ... Johannes hält anscheinend das Taufwasser nur bei den Heiden für unerläßlich; bei den Juden genügt die bloße Konsignation" (S. 126). Die „runde und volle Zahl" 144 000 (= 12 × 12 000) „ist der heilige Rest Israels", die Judenchristen; die Heidenchristen identifiziert Kraft mit der unzählbar großen Menge von Apk 7, 9 (S. 126; vgl. S. 128). Kraft lehnt die These, es handele sich bei Apk 7, 4–8 um eine „Allegorie für das christliche Gottesvolk", entschieden ab; „vielmehr ist Johannes der Meinung, daß in der Endzeit eine Rückführung und Wiederherstellung des Zwölfstämmevolkes stattfinden wird" (S. 127).

In Apk 14, 1–5 steht das Lamm inmitten seiner Anhänger auf dem Zionsberg; apokalyptische Tradition erwartet den messianischen Endkampf am Zion (S. 186). Die Beziehung zu Joel 2, 27; 3, 3 f. stellt sicher, daß es sich bei den 144 000 um das neue Gottesvolk handelt; sie sind identisch mit den Apk 7 eingeführten Geretteten aus den zwölf Stämmen (S. 187). Die Versiegelung von Apk 7 wird jetzt verdeutlicht: das Chi auf den Stirnen der 144 000 vertritt den Namen Christi (S. 187). In den Versen Apk 14, 4 und 5 will Kraft verschiedene Interpolationen erkennen; die Betonung sexueller Enthaltsamkeit sei das Werk eines Glossators und entspreche „einem asketischen Verständnis des Christentums, das der Apokalypse sonst völlig fernliegt" (S. 189). In dem Begriff der Tadellosigkeit (Apk 14, 5) erblickt Kraft nicht die Tadellosigkeit des Opfers, sondern „eine Tadellosigkeit, die dann eintritt, wenn der Herr die Sünden zugedeckt hat" (S. 190 f.).

Stellungnahme

Gegen Bousset und Sickenberger ist mit Charles, Lohmeyer, Hadorn, Wikenhauser und Kraft daran festzuhalten, daß die 144 000 von Apk 14 keine anderen sind als diejenigen von Apk 7. Der Apokalyptiker nimmt in Apk 7 die jüdische Tradition auf, daß am Ende der Tage der Zwölf-Stämme-Bund Israels erneuert werde (Bousset, Charles, Hadorn, Sickenberger, Wikenhauser, Kraft); deshalb ausschließlich an Judenchristen zu denken (Kraft), ist ebenso kurzschlüssig wie der Versuch Lohmeyers, das ganze Stück als genuin christliche Bildung zu erweisen. Das neue Israel, in heilsgeschichtlicher Kontinuität mit dem alten Israel und deshalb gleichfalls ein Volk aus zwölf

Stämmen, umfaßt Juden- und Heidenchristen; die dafür angemessenste Formulierung stammt m.E. von Hadorn (vgl. Wikenhauser).

Der Streit, ob Apk 14 im Himmel (Lohmeyer) oder auf Erden (Hadorn, Sickenberger, Wikenhauser) zu lokalisieren sei, ist müßig; die messianische Schlacht am Zionsberg gehört genauso zur apokalyptischen Tradition wie die Hoffnung auf eine endzeitliche Herabkunft der himmlischen Gottesstadt auf den irdischen Zion: der „Himmel" kommt auf die Erde (vgl. Bousset, Charles, Kraft).

Umstritten ist die Erklärung der Apk 14, 4 f. behaupteten sexuellen Abstinenz der 144 000 Versiegelten. Für eine übertragene Bedeutung, die Meidung des Götzendienstes, tritt nur Wikenhauser ein; Hadorn mildert die totale Kontinenz zum Verzicht auf Unzucht. Die anderen Ausleger denken an echte Askese, die der Seher den Vollendeten zuschreibe; Charles und Kraft wollen die Erwähnung des Zölibats als Interpolation eines asketischen Glossators tilgen – schwerlich zu Recht. Vielmehr sollte die Betonung sexueller Reinheit nicht aus der Kampfsituation gelöst werden, die etwa Lohmeyer, Sickenberger und Kraft richtig beobachtet haben; die Teilnehmer am heiligen Krieg leben kontinent (1 Sam 21, 6; 2 Sam 11, 11; vgl. 1 QM 7, 3–6). Vermutlich gehört die Versiegelung, von der alle Ausleger schreiben, daß sie den Versiegelten in ein Eigentums- und Schutzverhältnis aufnehme, wirklich in den Zusammenhang von Beschneidung und Taufe (Kraft); vielleicht darf sie direkt auf die Taufe gedeutet werden. Dann hätten die Täuflinge, an die der Apokalyptiker denkt, bei der Taufe den Verzicht auf Geschlechtsverkehr gelobt, um in absoluter Reinheit den heiligen Krieg der Endzeit führen zu können.

6. Die beiden Zeugen (Apk 11, 3–14)

a) Bousset (1906)

Die beiden namentlich nicht genannten „Zeugen", durch ihr Saq-Gewand als Bußprediger gekennzeichnet (S. 317 f.), sind mit Zügen aus dem Leben Moses und Elias ausgestattet (S. 318 bis 320). Die Stadt, in der sie auftreten, ist offenbar Jerusalem (S. 321). Adressaten ihrer Predigt sind anscheinend die Juden (S. 319). Der Apokalyptiker letzter Hand hat ein mythologisches Fragment verarbeitet (S. 321); er erwartet als endzeitliche Vorläufer des Messias zwei Prophetengestalten (S. 330) – dieselben, die zufolge Mk 9 parr. mit Jesus auf dem Berg der Verklärung weilten (S. 318): Mose und Elia.

b) Charles (1920)

„Gleichzeitig mit der Ankunft des Antichrists (in Rom?) erscheinen die zwei Zeugen – Mose und Elia, die Gefährten unseres Herrn auf dem Verklärungsberge – in Jerusalem als Bußprediger den Juden" (I, S. 280). Zufolge Charles identifiziert der Text augenscheinlich die zwei Zeugen mit Mose und Elia; die berichteten Wunder stammen aus den Mose- und Elia-Erzählungen des Alten Testament (S. 281). Das Saq-Gewand „versinnbildlicht die düstere Natur ihrer Botschaft" (S. 282). Die jüdische Quelle verstand unter Vers 13 b „die Buße der Juden und ihre Rückkehr zur Verehrung Gottes"; im jetzigen Zusammenhang geht es um die endzeitliche Bekehrung Israels zum Christentum (S. 292).

c) Lohmeyer (1926)

Auch Lohmeyer identifiziert die beiden Vorläufer des Messias als Mose und Elia (S. 91) und vergleicht die Perikope mit der Verklärung Jesu (Mk 9, 2–10 parr.); die Verklärungsgeschichte erscheint ihm als die „stärker ‚christianisierte' Fassung", während Apk 11 „reichere legendäre Züge des Volksglaubens bewahrt" habe (S. 91 f.). Die „große Stadt" ist Jerusalem, das auch sonst (Jes 1, 9; Ez 16, 46.49) „Sodom" genannt werden kann (S. 93). Nach zeitgeschichtlicher Deutungsmöglichkeit fragt

Lohmeyer ebensowenig wie nach dem Sinn dieser jüdischen Erwartung für den Endredaktor der Apokalypse.

d) Hadorn (1928)

Die „beiden Zeugen" mußten, so Hadorn, den Lesern „aus der apokalyptischen Erwartung bekannt" sein; ihr „sackartiges Bußkleid" ist Symbol des „prophetischen Bußwortes ... als des Gerichtszeugnisses" (S. 121). Wie in der Verklärungsgeschichte handelt es sich um Mose und Elia; die „Anspielungen auf die Geschichte des Elias und des Moses" in den Versen 5 und 6 sind so deutlich, daß neben Elia (vgl. Mk 6, 15; 8, 28 parr. und die Gestalt des Täufers) als zweiter Zeuge kein anderer als Mose in Frage kommt (S. 121 f.). Die Stadt ihres Auftretens heißt πνευματικῶς, d. h. „prophetisch", „Sodom und Ägypten"; damit ist Jerusalem gemeint, dessen wirklichen Namen der Apokalyptiker für das neue Jerusalem reserviert (S. 122). Hadorn möchte die Weissagung über Jerusalem, da sie nicht mit den Ereignissen des Jahres 70 n. Chr. übereinstimmt, vor der Zerstörung Jerusalems ansetzen (S. 122). „Das Auftreten der beiden Zeugen ist natürlich nicht als eine wirkliche und leibliche Wiederkehr des Moses und des Elias zu verstehen ... Es handelt sich um ein / Auftreten von letzten Zeugen Jesu nach Analogie des Moses und des Elias ..." (S. 123 f.).

e) Sickenberger (1942)

Sickenberger verweist auf die jüdisch-eschatologische Erwartung einer Wiederkunft der beiden „Propheten" Mose und Elia und vermutet, „daß die beiden Zeugen entweder als diese wiederkommenden Propheten selbst oder, was wahrscheinlicher ist, als Männer, die ihnen gleichen – so wie auch der Täufer der wiedergekommene Elias war (Mt 11, 14) –, gedacht sind" (S. 110). Zur Bußpredigt beider paßt das Saq-Gewand als

„Buß- und Trauerkleidung" (S. 110). Die Apk 11, 5 f. erzählten Wunder der beiden Zeugen haben ihr Vorbild in den alttestamentlichen Mose- und Elia-Erzählungen; „Moses und Elias waren auch bei der Verklärung Christi erschienen" (S. 111). Der Ort des Martyriums der beiden Zeugen ist „die große Stadt", d. h. Jerusalem; dieser Name wird nicht genannt, sondern, wegen der „Sündhaftigkeit der Bewohner dieser Stadt" (vgl. Weish 19, 13–17), umschrieben durch „Sodom und Ägypten" (S. 112). Sickenberger versteht die Weissagung des Apokalyptikers als Prophezeiung endzeitlicher Schicksale der Christenheit; Jerusalem sei wie Apk 20, 9 ein „Bild für die Kirche Gottes auf Erden" (S. 114). „Mit der Ablehnung der Deutung auf das Judentum fällt auch die viel / vertretene Hypothese der Herübernahme einer jüdischen Apokalypse in diesem Kapitel" (S. 114 f.).

f) Wikenhauser (1959)

Auch zufolge Wikenhauser weisen die Apk 11, 5 f. von den beiden Zeugen berichteten „Wunder, die durch sie und zu ihrem Schutz geschehen", auf Mose und Elia; die jüdische Eschatologie hat eine Wiederkunft sowohl Moses als auch Elias erwartet, doch ist das einzige literarisch ältere Zeugnis gegenüber Apk 11 die Verklärungsszene (S. 86). Der Apokalyptiker verwendet ältere Antichristtraditionen (vgl. 2 Thess 2, 3); ob die beiden Zeugen „die wiederkehrenden Moses und Elias in Person oder ihnen gleichende Gottesmänner sind (vgl. Lk 1, 17), ist nicht von Bedeutung" (S. 88). Apk 11, 13 erwartet die Bekehrung des größten Teiles des jüdischen Volkes zu Christus; das Endgericht ergeht nach Apk 14, 6 ff. „nicht über Israel, sondern über die ungläubige und unbußfertige Heidenwelt" (S. 88).

g) Kraft (1974)

Kraft glaubt, die beiden Zeugen als wiederkehrenden und als endzeitlichen Propheten unterscheiden zu können; für Apk 11, 6

„haben Mose und Elia als Vorbild gedient" (S. 156). „Die Zeugen tragen – wie Johannes der Täufer – das Bußgewand. Sie geben sich dadurch als Bußprediger zu erkennen" (S. 156). Die Identifikation mit historischen Gestalten „scheint unmöglich zu sein"; Kraft denkt an Johannes den Täufer als einen der beiden Zeugen oder an die Märtyrerpaare der Zebedaiden und Stephanus-Jakobus (S. 156). Mit der „großen Stadt" ist jedenfalls Jerusalem gemeint; „geistlich", d. h. „in der Art der Prophetie", kommt ihm der Name „Sodom und Ägypten" zu, wahrscheinlich nach Joel 4, 19 (S. 158). „Der Gipfel aller Prophetenmorde ist die Kreuzigung Christi" (S. 159). Apk 11, 13 stellt eine Verbindung her zu Mt 27, 52 (S. 160); ob diejenigen, die nach Apk 11, 13 c als „heiliger Rest" (vgl. S. 158) Gott die Ehre geben, nach Meinung des Apokalyptikers Juden oder Christen sind, wird nicht recht deutlich (vgl. S. 160). Der Vers Apk 11, 14 schließt eng an Apk 9, 21 an und erweist Apk 10, 1–11, 13 als nachträgliche Einschaltung (S. 160).

Stellungnahme

An der Tatsache, daß die beiden Zeugen mit Zügen Moses und Elias ausgestattet worden sind, ist nicht zu zweifeln; darin sind alle genannten Kommentare einig. Die Voraussetzung einer geschlossenen jüdischen Quelle, die vom Apokalyptiker christlich überarbeitet worden sei (Bousset, Charles; vgl. Lohmeyer), hat vieles für sich. Keineswegs schließt die Annahme einer auf die Kirche übertragenen Deutung eine jüdische Quelle notwendig aus (gegen Sickenberger). Hadorn möchte Apk 11 vor 70 n. Chr. entstanden sein lassen; das wird für die Quellenschrift zutreffen, nicht für die Endredaktion.

Die dunkle Bekleidung der Zeugen mit einem Gewand aus Saq-Gewebe wird ausnahmslos als Bußtracht (des Bußpredigers), mitunter (Sickenberger) auch als Trauerkleidung gedeutet; den Kommentatoren ist offenbar entgangen, daß das tierische Gewand (Pelz oder Saq-Gewebe) zugleich die Standestracht des jüdischen Propheten darstellt (vgl. 1 Kön 19, 13.19 LXX; 2 Kön 2, 8.13 f. LXX; Jes 20, 2; Mart Jes 2, 10; Mt 3, 4 par. Mk 1, 6; Mt 7, 15). Zum prophetischen Kontext paßt auch der „geistliche" Name der Stadt; da das πνεῦμα durch die Propheten spricht, kann πνευματικῶς hier geradezu „nach Prophetenart" bedeuten (Hadorn, Kraft). Daß Jerusalem gemeint sei, wird von allen Kommentatoren angenommen.

Strittig ist die Frage nach der Bedeutung der Weissagung im jetzigen Kontext der Apokalypse. Auch wenn Apk 11 nur ein übernommenes jüdisches Traditionsstück wäre, müssen Mose, Elia und der zum Glauben bekehrte Rest einen Sinn im Bezugsfeld der christlichen Eschatologie besitzen. Dem Verfasser scheint am wahrscheinlichsten der Gedanke an eine schließliche Bekehrung der letzten Juden zum Christentum (Bousset, Charles, Wikenhauser); dann steht Jerusalem für Israel. Sickenberger denkt an die Zukunft der Christenheit und versteht Jerusalem als Bild für die Kirche; Hadorn erblickt in Apk 11 Weissagungen auf den Jüdischen Krieg. Allem Anschein nach aber erwartet der Apokalyptiker, die Juden würden vor der Parusie des Messias Jesus Christus durch die traditionellen Vorläufer Mose und Elia für Christus gewonnen. Damit ist die zeitgeschichtliche Fragestellung nicht ausgeschlossen; so gut wie der Täufer mit Elia gleichgesetzt werden konnte (Hadorn, Sickenberger, Wikenhauser, Kraft), so gut konnte der Apokalyptiker ein Paar christlicher Märtyrer seiner Zeit mit den beiden eschatologischen Zeugen gleichsetzen (Kraft).

7. Die Sonnenfrau am Himmel (Apk 12)

a) Bousset (1906)

Bousset findet in Apk 12 einen christlich umgedeuteten alten Sonnenmythus; der junge Lichtgott, Sohn der großen Himmelsgöttin, besiegt die im Drachen verkörperten bösen Mächte der Finsternis (S. 355). Nur der ursprüngliche Schluß – der Sieg des

68

erwachsenen Sonnenkindes – ist abgebrochen; dadurch wird das verbleibende Fragment zum Proömium von Apk 13 (S. 356 f.). Der verarbeitete Mythus ist nach Bousset heidnischer, nicht jüdischer Herkunft (vgl. S. 347), das Kapitel in der vorliegenden Gestalt nur bei Annahme christlicher Redaktion sinnvoll (S. 357). Für den Apokalyptiker letzter Hand bedeuten die zwölf Sterne das Zwölfstämmevolk, das Kind den Messias, der Drache den Teufel, die Frau die urchristliche Messiasgemeinde als das wahre Israel (und als solches die Mutter des Messias), die übrigen von ihrem Samen die Christen im römischen Reich überhaupt (S. 335 bis 338. 343–346). Vers 17 f. stammt vom Apokalyptiker letzter Hand; der judenchristlichen Gemeinde, symbolisiert durch die Frau, die in die Wüste flieht, wird die heidenchristliche Gemeinde – „die übrigen ihres Samens" – gegenübergestellt (S. 356 f.).

b) Charles (1920)

Zunächst referiert Charles die Bedeutung von Apk 12 im gegenwärtigen christlichen Kontext. Für den Apokalyptiker ist das Kind Christus, seine Mutter die Kirche, der Drache der Teufel, die übrigen Kinder der Frau die in der Welt zerstreuten Heidenchristen (I, S. 298 f.). Freilich schließen die mythologischen Züge des Kapitels sowohl einen Christen als auch einen Juden als Autor der Quelle aus (S. 299 f.); allerdings interpretierte der christliche Apokalyptiker seine Vorlage in christlichem Sinne (S. 300). Andererseits sind die sprachlichen Eigentümlichkeiten diejenigen des Apokalyptikers, so daß griechische Quellen ausscheiden dürften (S. 300–303); vielmehr waren die benutzten Vorlagen offenbar semitisch (S. 303).

Charles vermutet zwei selbständige jüdische Quellen (S. 305), von denen Apk 12, 7–10.12 – der Streit Michaels mit dem Drachen – eine echte Schöpfung des Judentums sei (S. 307). Dagegen wurde der in Apk 12, 1–5. 13–17 fragmentarisch vorliegende Mythus von Sonnenfrau, Kind und Drachen zuerst von einem Juden und dann von einem Christen übernommen und umgeformt; die Anpassung an den neuen christlichen Kontext erfolgte durch Einfügung der Verse 6 und 11 sowie durch Eingriffe in den Versen 3, 5, 9, 10 und 17 (S. 309). Den im wesentlichen heidnischen Mythus Apk 12, 1–5. 13–17 a.b hat ursprünglich um 67–69 n. Chr. ein pharisäischer Jude sich zu eigen gemacht; dieser Mythus war damals international (S. 310). In diese – vermutlich aus Babylonien stammende – Tradition hat das Judentum seine eigene religiöse Geschichte und seine Sehnsucht nach einem göttlichen Erlöser hineingelesen (S. 314 nach Gunkel, III Nr. 188).

Im gegenwärtigen Zusammenhang repräsentiert die Sonnenfrau „das wahre Israel oder die Gemeinde der Gläubigen" aus Juden- und Heidenchristen; zuvor, um 67–69 n. Chr., war gemeint, daß die Judenchristen entrinnen würden (Apk 12, 14–16), was im Jahre 95 n. Chr. sinnlos ist (S. 315). „Die übrigen ihres Samens" (Apk 12, 17), ursprünglich die Heidenchristen, sind jetzt die Christen überhaupt (S. 315). Die Krone aus zwölf Sternen (Apk 12, 1) symbolisiert den Tierkreis, dessen Sternbilder durch zwölf Edelsteine repräsentiert werden können (vgl. die Deutung des Brustschildes des Hohenpriesters durch Philo Vit Mos 2, 133 und Josephus Ant 3, 186); dann war das Urbild der Himmelsfrau unseres Textes „eine Göttin, deren Krone besetzt war mit den Tierkreiszeichen, deren Körper bekleidet war mit der Sonne und deren Füße auf dem Mond als Fußschemel ruhten" (S. 315 f.).

c) Lohmeyer (1926)

Zur „Geburt des Kindes", das sonnenhaften Ursprungs ist, sammelt Lohmeyer religionsgeschichtliche Parallelen (S. 96 f.). Die Frau ist (nach Boll) die Himmelskönigin; die zwölf Sterne, ursprünglich die Sternbilder des Tierkreises, sind „längst geläufige Ornamente von Göttergestalten" (S. 98). Für den Seher symbolisiert der Sternenkranz möglicherweise die zwölf Stämme und damit das ideale Israel, d. h. (vgl. Apk 7, 5; Jak 1, 1) „die

Gesamtheit urchristlicher Gemeinden" (S. 99). Das Kind ist „der kommende Messias" (Apk 2, 27; 19, 15), der Drache wird mit Teufel und Schlange (Gen 3) identifiziert (S. 100 f.).

Im Anschluß an Belege des apokalyptischen und hellenistischen Judentums deutet Lohmeyer die Himmelsfrau als die göttliche Weisheit, die am Ende der Zeit herabkommt, auf Erden keine Wohnung findet und vor der Ungerechtigkeit flieht (S. 104 f.). Die Weisheit ist Himmelsgöttin und Mutter des Logos = Messias (Apk 19, 13); die Frommen sind ihre Kinder (Apk 12, 17; vgl. Lk 7, 35), die Wüste ist „der providentielle Ort reiner eschatologischer Frömmigkeit" (S. 105). Die eschatologische Rolle der Weisheit (Niederfahrt vom Himmel, Verfolgung und Flucht), offenbar dem Mythus vom göttlichen Urmenschen entlehnt, ist verknüpft mit dem Motiv von der Weisheit als der Mutter des Messias; solche Kombination der Motive war dem Apokalyptiker vermutlich durch die Tradition vorgegeben (S. 106). Nach Lohmeyer ist die Geburt des Kindes zeitlos; die „übrigen ihres Samens" (Apk 12, 17) sind die jüngeren Kinder der Weisheit: die Gläubigen der Gegenwart (S. 108).

d) Hadorn (1928)

Die traditionellen Vorstellungen, auf denen die Gestalt der Sonnenfrau basiert, gehören dem astralen und mythologischen Bereich an (S. 129 und 131). Hadorn akzeptiert Bolls Deutung auf Tierkreis, Sonne und Mond sowie die Sternbilder Jungfrau und Drache (S. 131 f.). Zum Verständnis der Intentionen des Apokalyptikers tragen solche religionsgeschichtlichen Erkenntnisse nichts bei, da „Johannes ... sich unter dem Weibe mit dem Sonnengewand weder ein Sternbild noch irgendeine heidnische ‚Göttermutter' vorgestellt hat" (S. 129). Vielmehr bedeutet dem Apokalyptiker die Sonnenfrau „die wahre, das Zwölfstämmevolk repräsentierende und fortsetzende Gemeinde, die ideale Kirche ..., das Israel κατὰ πνεῦμα, die Kirche als Gesamtheit im Gegensatz zu der empirischen Kirche" (S. 129). Die

71

Zwölfzahl der Sterne bzw. Sternbilder symbolisiert die zwölf Stämme Israels, das Kind ist der Messias; Lohmeyers Deutung auf die Weisheit ist abzulehnen (S. 129).

Der Drache, identisch mit der Schlange von Gen 3, mit dem Satan, verfolgt die Frau, d. h. die christliche Gemeinde (S. 134 f.). Die Wüste gilt, wie schon in der Geschichte Israels, als Bergungsort; die Flucht der Frau drückt die apokalyptische Hoffnung auf den gesicherten Fortbestand des endzeitlichen Israel aus (S. 136; vgl. S. 129). Wie der Drache zuerst das Kind, dann die Mutter verfolgt hat, so stellt er schließlich den übrigen Kindern ihres Samens nach (S. 136). Dabei warnt Hadorn davor, etwa die Frau mit der (geborgenen) judenchristlichen Gemeinde zu identifizieren; er will die Sonnenfrau als Kirche schlechthin verstanden wissen, die von Gott geschützt wird, auch wenn ihre Glieder verfolgt werden (S. 136).

e) Sickenberger (1942)

Aus der hoheitsvollen Schilderung der Sonnenfrau am Himmel schließt Sickenberger, es müsse sich „um eine ‚bis zum Himmel erhöhte‘ . . ., aber auf der Erde lebende (s. Vers 5 f.) gottbegnadete Institution handeln"; als solche kommt für ihn nur die Tochter Zion als Sinnbild Jerusalems bzw. Israels in Frage, auf dessen zwölf Stämme vielleicht auch die Zwölfzahl der Sterne hinweise (S. 118). Aus Israel stammt der Messias dem Fleische nach (Röm 9, 4 f.); „in dieser Rolle als Messiasmutter schaut Johannes . . . hier sein eigenes Volk" (S. 118). Als Feind tritt Satan in Gestalt eines Drachen, eines „Bildes für böse Machthaber", auf (S. 118 f.). Die Sonnenfrau muß in die Wüste fliehen, d. h. Israel wird exiliert und verliert seine sichtbare nationale Existenz (S. 120 f.).

Die „übrigen Kinder" der Messiasmutter sind die Christen (vgl. Röm 11, 17); da das Judentum „den Messias hervorgebracht hat, ist es auch Mutter derjenigen, die durch ihren Glauben mit dem Messias vereinigt und auch unter-/einander

Brüder sind, Judenchristen sowohl als auch Heidenchristen" (S. 124 f.). „So läßt sich die Deutung der Sonnenfrau auf Israel einwandfrei durchführen, und man ist nicht genötigt, einander widersprechende Züge in ihrer Schilderung anzunehmen und danach verschiedene Quellen zu behaupten" (S. 125). Im folgenden lehnt Sickenberger andere Deutungen der Sonnenfrau ab, nämlich auf die leibliche Mutter Jesu, auf das neue Israel (die Kirche), auf das „Volk Gottes" aus altem und neuem Israel, auf die göttliche Weisheit und auf eine (neuerliche) Messiasgeburt am Ende der Zeit (S. 125). Schließlich weist Sickenberger die Annahme zurück, heidnische Mythen von einem göttlichen Kind und der Himmelskönigin oder astrale Spekulationen über die Sternbilder Jungfrau und Drache hätten wesentlichen Einfluß auf Apk 12 ausgeübt (S. 125 f.).

f) Wikenhauser (1959)

Wikenhauser vermutet in den zwölf Sternen der Sonnenfrau „ein Sinnbild der zwölf Stämme Israels, die in der Apokalypse wiederholt genannt werden und das geistige Israel, das neue Volk Gottes, darstellen" (S. 92). Die Sonnenfrau deutet er auf das Gottesvolk Israel, die Tochter Zion (Jes 1, 8; Jer 4, 31), die Mutter des Messias, und zugleich auf die Kirche als das neue Gottesvolk, dessen Glieder der Drache verfolgt; sie ist also „ein Symbol des Gottesvolkes überhaupt" (S. 92 f.). Wie das jenseitige ewige Jerusalem ist auch die Sonnenfrau eine ideale Größe: das im Himmel präexistente „Vorbild und Urbild" des Gottesvolkes (S. 93). Der Drache ist nach Apk 12, 9 der Satan (S. 93), das Kind der Sonnenfrau nach Ausweis des Zitats aus Ps 2, 8 f. der Messias (S. 94).

Die Mutter flieht in die Wüste, den traditionellen „Zufluchtsort der Verfolgten"; die Kirche als solche wird durch die Verfolgung ihrer Glieder erniedrigt (S. 94). Zufolge Apk 12, 17 ist die Frau Mutter sowohl des Messias als auch der Christen; als „Kirche Christi auf Erden" wird sie von Gott vor der Vernichtung bewahrt, auch wenn einzelne Christen den Angriffen der gottfeindlichen Mächte ausgesetzt sind (S. 98).

g) Kraft (1974)

Die Sonnenfrau ist nach Kraft die Mutter des Messias, die Gemeinde; „sie ist an den Himmel projiziert und verklärt" (S. 164). Motivgleich ist die ägyptische Isis-Horus-Sage, deren astrales Abbild die Sternbilder Jungfrau und Wasserschlange (Typhon) darstellen; entsprechend steht in Apk 12 der Drache dem Weibe gegenüber, um das Neugeborene zu verschlingen (S. 164). „Wenn die Sonne ins Zeichen der Jungfrau tritt, dann wird am Nachthimmel der Vollmond zu ihren Füßen stehen" (S. 164). In der Apokalyptik bedeuten – zufolge Kraft – diese astralen Beziehungen nicht mehr viel; die zwölf Sterne „verweisen wohl nicht mehr auf den Tierkreis, sondern auf das Zwölfstämmevolk" (S. 164).

Apk 12, 2 basiert auf Jes 66, 6–8; die Geburt des Knaben ist verstanden als Geburt des Messias (S. 164 f.). Der Drache (Apk 12, 3) trägt die Kronen der Weltreiche von Dan 7 „und erweist sich damit als Fürst dieser Welt" (S. 165). Vor ihm flieht die Frau in die Wüste (Apk 12, 14); das Bild von den Adlerfittichen umschreibt – wie Ex 19, 4 – „die eilige und erfolgreiche Flucht der Gemeinde", wobei „historische Reminiszenzen an die Flucht der Urgemeinde ins Ostjordanland" nachklingen können (S. 170). Apk 12, 17 ist nur zu verstehen, wenn die Frau als Personifikation der Gemeinde und damit als Mutter nicht nur des Messias, sondern auch der Frommen und Gläubigen aufgefaßt wird (S. 171). Der Apokalyptiker ordnet die Flucht der Gemeinde mit der Geburt des Kindes zusammen und suggeriert damit eine Gleichzeitigkeit, die „jedem geschichtlichen Verlauf" widerspricht; die von ihm erzählte Geschichte ist und bleibt „für die Welt Gegenwart" (S. 171), denn „Johannes deutet seine eigene Zeit als die Endzeit" (S. 172). Die „religionshistorischen Zusammenhänge sind nicht zu leugnen, aber sie bedeuten wenig für die Exegese des Kapitels. Der Mythos bleibt im biblischen Denken an die Geschichte gebunden" (S. 172).

Stellungnahme

Nirgends sonst in der Apokalypse wird der mythische Hintergrund so deutlich wie in Apk 12. Deshalb zweifelt keiner der Kommentatoren an der Verwandtschaft mit heidnischen Sagen von Geburt und Gefährdung des jungen Sonnengottes; auch die Beziehungen zu astraler Mythologie (Tierkreis, Sternbilder, Sonne, Mond) werden nicht bestritten. Weitgehende Einigkeit herrscht auch bezüglich der ekklesiologischen Bedeutung der Frau; keiner der Kommentare tritt mehr für eine Deutung auf Maria, die Mutter Jesu, ein, sondern mit Ausnahme Lohmeyers plädieren alle für „Israel", was immer genau darunter zu verstehen sei. Nur Lohmeyer versucht, wenig überzeugend, die Sonnenfrau mit der göttlichen Weisheit zu identifizieren.

Umstritten ist die Frage, ob der vom Apokalyptiker benutzte Stoff diesem direkt aus dem Heidentum (Bousset) oder bereits in jüdischer Bearbeitung zugewachsen sei (Charles, Lohmeyer); die meisten Kommentare rechnen offenbar mit judenchristlicher Redaktion heidnischer und jüdischer Einzelzüge (Kraft). Der Verfasser ist geneigt (vgl. Charles), mit einer weitgehenden Adaptation des gesamten Stoffes von Apk 12 durch das ältere apokalyptische Judentum zu rechnen, zumal die Gleichsetzung der zwölf Stämme Israels mit den zwölf Tierkreiszeichen offenbar genauso jüdischen Ursprungs ist wie die Annahme einer himmlischen Tochter Zion, eines himmlischen Jerusalem; als heuristisches Prinzip erscheint mir die von Bousset gegeißelte Methode, „daß, was in der Apokalypse nicht christlich sei, jüdisch sein müsse" (S. 347), gleichwohl noch immer akzeptabel.

Wenn die Himmelsfrau ursprünglich das ideale – jüdische – Israel bedeutete, erhebt sich die weitere Frage, was der Apokalyptiker darunter verstanden wissen wollte. Das neue Israel, d. h. die Kirche (Bousset, Charles, Hadorn, Wikenhauser,

Kraft)? Oder das alte Israel, das Judentum, dem sowohl der Messias als auch die Kirche entstammt (Sickenberger)? Vermutlich ist diese alternative Fragestellung falsch; es gibt für den jüdisch erzogenen Autor der Apokalypse nur ein Israel (vgl. Apk 7 und 14, siehe oben II 5), das durch die zum Messias bekehrten Heiden auf die Vollzahl der zwölf Stämme gebracht wird, wie jüdische Eschatologie dies für die messianische Zeit erwartet hat.

8. Die teuflische Trinität (Apk 12 f.; 16, 13; 20, 10)

a) Bousset (1906)

In den Kapiteln 12 und 13 werden nacheinander drei Gestalten der teuflischen Welt vorgeführt: der *Drache*, der nach Apk 12, 9 mit der Schlange von Gen 3, mit Teufel und Satan identisch ist (S. 341 f.), das *erste Tier*, das aus dem Meer aufsteigt (Apk 12, 18–13, 10), und das *zweite Tier*, das aus dem Land aufsteigt (Apk 13, 11–18). Die Stelle Apk 16, 13 bindet die drei Ungeheuer zur Trias zusammen und deutet das zweite Tier „ohne weiteres auf den Pseudopropheten" (S. 398).

Das erste Tier, identisch mit dem Reittier der Hure von Apk 17 (S. 359), bedeutet das römische Imperium (S. 358). Daß eines der Häupter „gleichsam zu Tode verwundet" ist und wieder geheilt wird (Apk 13, 3), bezieht sich auf den Tod und die erwartete Wiederkunft Neros (S. 360 f.). Im zweiten Tier sieht der Apokalyptiker letzter Hand den Pseudopropheten (Apk 16, 13; 19, 20; 20, 10), den er vermutlich mit der provinzialrömischen Kaiserpriesterschaft gleichsetzt (S. 365 f.). Schließlich werden das erste Tier und das verwundete Haupt identifiziert: Imperium Romanum und Nero redivivus sind ein und dasselbe (S. 367).

Bousset ist davon überzeugt, die beiden Tiere von Apk 13 seien verschiedene Ausprägungen der einen teuflischen Gestalt, die von der jüdischen Apokalyptik für die Endzeit erwartet wurde (S. 377 f.). Die jüdische Tradition beschreibt den großen göttlichen Widersacher bald als antichristlichen Tyrannen, bald als falschen Propheten; diese Vorstellung gehört in den Zusammenhang eines „Kampfes Gottes mit dem Satan, resp. dem höllischen Drachen" (S. 378). „So haben wir in Kapitel 12 und 13 in den drei nebeneinander gestellten Figuren des Teufels, des Tieres mit seinem verwundeten Haupt und des zweiten Tieres, des falschen Propheten, die verschiedenen Phasen der Entwickelung einer und derselben Idee vor uns" (S. 378).

b) Charles (1920)

Der christliche Apokalyptiker identifiziert den mythologischen Drachen Apk 12, 9 mit Paradiesschlange, Teufel und Satan (I, S. 325). Das erste Tier (Apk 12, 18–13, 10) ist nach Charles das römische Kaiserreich; eine alte jüdische Tradition (vgl. Dan 7, 2–7) erhält durch den Apokalyptiker eine neue Bedeutung, indem er sie auf die sieben römischen Kaiser bezieht (S. 345–347). Die einzig befriedigende Deutung des gleichsam zu Tode verwundeten Hauptes ist diejenige auf Nero redivivus (S. 348–350). Dagegen ist unter dem zweiten Tier (Apk 13, 11–18), dem falschen Propheten (Apk 16, 13; 19, 20; 20, 10), die kaiserliche Priesterschaft der Provinzen zu verstehen; das „Land" (Apk 13, 11) verweist auf Kleinasien (S. 357). Zum widderähnlichen Äußeren des zweiten Tieres ist Mt 7, 15 zu vergleichen (S. 358).

Der Zusammenschluß dieser drei teuflischen Mächte erfolgt Apk 16, 13; hier wird zum erstenmal das zweite Tier mit dem falschen Propheten gleichgesetzt (II, S. 47). Die von ihnen entlassene Trias dreier unreiner Geister in Froschgestalt kontrastiert mit den drei Engeln in Apk 14, 6 ff. (S. 47).

c) Lohmeyer (1926)

Zufolge Lohmeyer verrät sich „in der Fülle der Namen für den Drachen" (Apk 12, 9) „der triumphierende Ingrimm des

Sehers"; der Drache von Apk 12 ist identisch mit der Schlange von Gen 3, die niemand anderes ist als der Teufel (S. 101). Das aus dem Meer aufsteigende erste Tier (Apk 12, 18–13, 10) ist der Antichrist (S. 112), das „Tier aus dem Abgrund" (Apk 11, 7; 17, 8), häufig „das Tier" schlechthin genannt (S. 113). Dagegen ist das zweite, aus dem Land aufsteigende Tier (Apk 13, 11–18) nach Apk 16, 13; 19, 20; 20, 10 der Pseudoprophet (S. 115). Hinter den beiden Tieren von Apk 13 stehen einerseits die mythischen Ungeheuer Leviathan und Behemoth (vgl. Hiob 40 f.), die aus der babylonischen Tiamat-Überlieferung stammen (S. 113), andererseits die apokalyptische Vorstellung, dem Erscheinen des Messias gingen Pseudomessias und Pseudoprophet (vgl. Mk 13, 21 f. parr.) voraus (S. 114).

Apk 16, 13 zeigt die Zusammengehörigkeit der drei satanischen Ungeheuer; ihr entspricht die Dreiheit unreiner Geister, ein „Kontrast zu der Dreiheit der Engel von Apk 14, 6 ff." (S. 136). „Drache, erstes und zweites Tier sind eng verbunden. Sie treten nur zusammen auf (Apk 16, 13; 19, 20 ff.); wie das erste Tier von dem Drachen ,Thron und Regiment' empfängt, so ,wirkt das zweite alle Macht des ersten Tieres' (Apk 13, 12). Unter diesen dreien tritt das erste Tier besonders hervor; es ist Vertreter des ,Drachen' auf Erden, und das zweite Tier gleichsam sein ,Prophet' " (S. 113). Nicht nur beim teuflischen Drachen von Apk 12 (vgl. S. 99 und 101 f.), sondern auch beim ersten (S. 114 f.) und zweiten Tier (S. 116 f.) vermag Lohmeyer, getreu seiner Axiomatik, keine zeitgeschichtlichen Bezüge zu erkennen. Die Feinde des Sehers „sind nicht irdischer und staatlicher Art, sondern satanischen und mythischen Wesens" (S. 115).

d) Hadorn (1928)

Der Drache von Apk 12 ist (nach Apk 12, 9) die Schlange von Gen 3, der Teufel und Satan, dessen Sturz Adams Fall kompensiert (S. 134). Er ruft aus dem Meer das erste Tier herauf, das gewissermaßen das belebte Spiegelbild des Drachen darstellt (S. 138); das erste Tier (Apk 12, 18–13, 10) ist der Antichrist, Kreatur und Inkarnation des Drachen, „das Gegenstück zur Menschwerdung des Sohnes Gottes" (S. 138). Das Meer ist dasjenige im „Westen . . ., wo für den Orientalen Rom liegt" (S. 139); aus ihm erhebt sich „das letzte antichristliche Weltreich, Rom, das römische Imperium" (S. 141). Vom Drachen erhält der Antichrist seine Macht; er wird mit Nero redivivus identisch und darf von daher zeitgeschichtlich gedeutet werden (S. 143). Nach Apk 16, 13; 19, 20; 20, 10 ist das zweite Tier der falsche Prophet; es tritt auf dem Lande, d. h. in Kleinasien, auf (S. 144) und betreibt propagandistisch die Verehrung des ersten Tieres (S. 144 f.). Hadorn denkt an Gaukler, die durch spektakuläre Kunststücke den Kaiserkult unterstützen, erst in zweiter Linie an offizielle Statthalter und Priester (S. 145).

Zum erstenmal zusammen genannt wird die „satanische Trias", Drache, Tier und falscher Prophet, in Apk 16, 13 (S. 165). Die Vokabel ϑηρίον gebraucht der Apokalyptiker ausschließlich „von den beiden gottfeindlichen Mächten und Wesen, Apk 13, 1 und 13, 11, die nacheinander aus dem Meer und vom Land aufsteigen und mit dem Drachen zusammen ‚eine satanische Trinität' bilden" (S. 139). Mit der Schilderung der beiden Ungeheuer folgt er „der biblischen und synagogalen Überlieferung vom Leviathan und dem Behemoth", u. a. Jes 27, 1; Hiob 40, 15–32 (S. 139).

e) Sickenberger (1942)

Der aus dem Himmel gestürzte Feind (Apk 12, 9), vorgestellt als großer Drache und mit Paradiesschlange, Diabolus und Satan identifiziert (S. 121 f.), bedient sich zweier Gehilfen, die dämonische Wesen sind (S. 126). Das erste Tier (Apk 12, 18–13, 10) ist der Antichrist; er wirkt durch „irdische Herrscher und Gewalthaber", die jedoch nach Sickenberger nicht auf römische Kaiser oder gar Herodes den Großen gedeutet werden dürfen

(S. 131). Auch das zweite Tier (Apk 13, 11–18), nach Apk 16, 13; 19, 20; 20, 10 identisch mit dem Pseudopropheten, ist „ein persönliches, dämonisches Wesen"; es bietet gegen die Gläubigen Verführung, Irrlehre und Magie (vgl. Mk 13, 22 par.) auf (S. 131). „Deswegen darf aber auch das zweite Tier nicht als Personifikation des heidnischen Priestertums erklärt werden, sondern es ist die Erscheinung eines persönlichen Gehilfen des Antichrist, also eines Dämons von großer Gewalt" (S. 136).

Als Dreiergruppe erscheinen der Drache und die beiden Tiere, „die Trias der Führer im Kampfe gegen Gott", in Apk 16, 13; hier sind sie die Erzeuger dreier unreiner Geister in Froschgestalt (S. 150). „Es wird somit in der Endzeit der himmlischen Trinität eine höllische entgegengesetzt: Gegen Gott wirkt Satan, gegen Christus der Antichrist und gegen den Heiligen Geist der Pseudoprophet" (S. 136).

f) Wikenhauser (1959)

Der Drache, nach Apk 12, 9 kein anderer als die Schlange von Gen 3, als Teufel und Satan (S. 96), bedient sich bei seinem Kampf gegen Gott „zweier Werkzeuge, die sich dem Seher in Tiergestalt zeigen" (S. 100). Das erste Tier (Apk 13, 1–10), „gewissermaßen das Ebenbild des Drachen" und „eine satanische Kreatur" (S. 100), ist der Antichrist und Herrscher des gottfeindlichen Weltreiches (S. 99). „Keine politische, sondern eine geistige und zwar religiöse Größe" ist das zweite Tier (Apk 13, 11-18), das jedoch ganz im Dienst des ersten Tieres steht und dessen Kult propagiert (S. 102 f.).

Da das erste Tier die vier Tiere Daniels zusammenfaßt und vor allem die Züge von dessen viertem Tiere trägt, soll es eine „irdisch-geschichtliche Größe" verkörpern: das römische Imperium (S. 104 f.). Insofern das Imperium göttliche Verehrung beansprucht und Christen verfolgt, steht es als dämonisch-satanische Macht im Dienste Satans (S. 106). Das zweite Tier, der falsche Prophet, symbolisiert die Propagandamacht des Imperiums; es ist „die Personifikation der religiösen, geistigen und politischen Kräfte . . . /, die sich in den Dienst der Durchsetzung des Absolutheitsanspruches der politischen Macht stellen" (S. 109 f.). Schließlich begegnet die „satanische Dreiheit" in Apk 16, 13, wo „aus dem Munde des Drachen, des Tieres und des falschen Propheten . . . drei unreine Geister in Froschgestalt hervorkommen" (S. 123).

g) Kraft (1974)

Drache und Schlange (Gen 3, 1) werden in Apk 12, 9 ausdrücklich gleichgesetzt, vgl. Jes 27, 1 LXX; ein Katalog von Teufelsnamen soll alle im Alten Testament vorkommenden Bezeichnungen zusammenfassen (S. 167). Das erste Tier (Apk 12, 18–13, 10) ist, nach Dan 7, „die Personifikation einer gottfeindlichen Weltmacht" (S. 174 f.); es gleicht äußerlich dem Drachen, „weil es durch die Spiegelung des Drachen im Meer entstanden ist" (S. 175). „Es ist möglich, doch kaum zu entscheiden, daß das Heraufsteigen des Tiers aus dem Meer einen Hinweis auf das aus dem Westen kommende römische Reich enthält" (S. 175); dem Satan verdankt das römische Imperium die Fülle seiner Macht (S. 176). Als Antichrist gleicht das erste Tier nicht nur dem satanischen Drachen, sondern auch Christus; eines seiner Häupter wurde, wie das Lamm, tödlich verwundet und wieder geheilt: Hier ist die Ermordung Domitians und die Erneuerung des römischen Kaisertums gemeint (S. 176).

Wie Hiob 40, 15 ff. 25 ff. dem Behemoth der Leviathan gegenübergestellt wird, so folgt in Apk 13 dem Tier aus dem Meer ein Tier vom Lande (S. 174 und 179). Der Apokalyptiker benutzt diesen geläufigen Topos, um dem wahren Propheten den falschen Propheten entgegenzusetzen; die Konstruktion zielt auf die Dreierreihe Satan-Antichrist-Pseudoprophet gegenüber der Reihe Gott-Christus-Prophet (S. 179). Nach Kraft ist das zweite Tier nicht politisch – auf die Förderung des Kaiserkults durch Statthalter und Priester –, sondern grundsätzlichheilsgeschichtlich zu deuten: „Der Pseudoprophet verwirklicht sich in jeder Person, die sich gegenüber dem Götzendienst zu Kompromissen bereit findet und zur Nachgiebigkeit rät" (S. 180). In Apk 16, 13 f. unterscheidet zufolge Kraft der Apokalyptiker Drache, Tier und Lügenprophet als dämonische Wesen von den durch sie ausgesandten, froschgestaltigen „Geistern" (S. 208).

Stellungnahme

Zumindest aus Apk 16, 13 (vgl. 20, 10) geht deutlich hervor, daß der Apokalyptiker den Drachen von Apk 12 und die beiden Tiere von Apk 13 als Einheit verstanden wissen will. So sind denn auch alle sieben Kommentare darin einig, daß es sich um eine satanische Trias handelt; Bousset will in den drei Gestalten drei Entwicklungsphasen einer und derselben Idee erblicken. Den von dieser Trias abstammenden drei unreinen Geistern entsprechen vielleicht, auf der göttlichen Gegenseite, die drei Engel von Apk 14, 6–13 (Charles, Lohmeyer). Daß die Trias Teufel (Drache) – Antichrist – falscher Prophet geradezu eine Antitrinität darstellt, hat zuerst Hadorn gesehen und betont (ähnlich dann Sickenberger, Wikenhauser, Kraft).

Die religionsgeschichtliche Ableitung ist umstritten; Einzelzüge stammen aus Daniel, Meer und Land als Heimat zweier Ungeheuer erinnern an Behemoth und Leviathan (Lohmeyer, Hadorn, Sickenberger, Kraft). Die äußerliche Gleichheit zwischen dem Drachen und dem ersten Tier erklärt zuerst Hadorn befriedigend durch die Beobachtung, daß das Tier als Spiegelbild des Drachen (Apk 12, 18–13, 1) aus dem Meer aufsteigt (danach Wikenhauser, Kraft). Nicht ausgeschlossen ist auch eine Analogie der apokalyptischen Ungeheuer aus Abgrund (Apk 11, 7), Meer (Apk 13, 1) und Erde (Apk 13, 11) zu einer heidnischen Göttertrias wie Hades, Poseidon und Zeus.

Die antitrinitarische Deutung der drei dämonischen Bestien schließt eine zeitgeschichtliche Interpretation nicht notwendig aus. Das „erste Tier", der Antichrist, ist doch wohl das Imperium Romanum (Bousset, Charles, Hadorn, Wikenhauser; zurückhaltend Kraft); mit dem „zweiten Tier" dürfte dann die – behördliche bzw. priesterliche – Propaganda für den römischen Kaiserkult gemeint sein (Bousset, Charles, Hadorn, Wikenhauser). Lohmeyer und Sickenberger verwerfen jede zeitgeschichtliche Deutung, Kraft zumindest diejenige des zweiten Tieres. Dem Argument Lohmeyers und Sickenbergers, es handle sich bei den Tieren von Apk 13 um satanisch-mythisch-dämonische Wesen, nicht um politische Größen, ist entgegenzuhalten, daß es für den antiken Menschen eine solche Alternative nicht gibt (vgl. Wikenhauser).

Abschließend seien die wichtigsten Entsprechungen zwischen Personen der himmlischen und der höllischen Trinität zusammengestellt. Der Antichrist hat Vollmacht vom Drachen (Apk 13, 2) wie Christus von Gott, ist tödlich verwundet (Apk 13, 3) wie das Lamm (Apk 5, 6) und wird wie Christus neu belebt (Apk 13, 3), wird inthronisiert (Apk 13, 2) wie das Lamm (Apk 5, 12), „war, ist nicht und wird kommen" (Apk 17, 8; vgl. 17, 11), während Gott „ist, war und kommt" (Apk 1, 4.8; 4, 8; vgl. 11, 17). Dem Siegel des Christusnamens (vermutlich $X = XPI\Sigma TO\Sigma$, Apk 7, 3; 14, 1) entspricht das Malzeichen des Tieres (Apk 13, 16; 19, 20); die „Namen der Lästerung" (Apk 13, 1) treten in Konkurrenz zu christologischen Titeln. Beim Vergleich des zweiten, pseudoprophetischen Tieres mit dem heiligen Geist der christlichen Trinitätslehre ist zu beachten, daß im Urchristentum der Geist vorzugsweise prophetischer Geist ist; der Pseudoprophet schenkt Leben (Apk 13, 15) wie Gottes heiliger Geist (Apk 11, 11; vgl. Gen 2, 7), läßt Feuer vom Himmel fallen (Apk 13, 13) wie weiland der Prophet Elia (1 Kön 18, 24.38; 2 Kön 1, 10.12; vgl. auch das Feuer des heiligen Geistes Apg 2, 3) und hat bzw. schenkt die Fähigkeit zu verführender Rede (Apk 13, 11.14), analog der belehrenden Funktion des heiligen Geistes (Joh 14, 26; Gal 4, 6; Apk 2, 7.11.17 u. ö.). In der Verkleidung als Widder (Apk 13, 11) imitiert das zweite Tier das Christuslamm.

9. Die Zahl 666 (Apk 13, 18)

a) Bousset (1906)

Das Zahlenrätsel von Apk 13, 18 hat seit langem die Exegeten zu Lösungsversuchen inspiriert, die Bousset ausführlich referiert (S. 369 ff.). Er selbst entscheidet sich für Gematrie nach dem hebräischen Alphabet, dessen Buchstaben – wie die des griechischen – Zahlenwert haben (S. 372 f.). Die Zahl 666 kommt zustande durch קסר נרון (Kaiser Neron), die in einer abweichenden Lesart bezeugte Zahl 616 durch Verwendung der lateinischen Namensform (קסר נרו Kaiser Nero); Tier und Mensch, Imperium und Nero sind identisch: „Für den Apokalyptiker faßt Nero redivivus die ganze Furchtbarkeit des römischen Imperiums in sich zusammen" (S. 373).

b) Charles (1920)

Auch Charles erklärt, nach sorgfältiger Diskussion älterer Lösungsvorschläge (I, S. 364 ff.), die gematrische Deutung von 666 auf נרון קסר (Neron Kaiser) für die einzig befriedigende; die Variante 616 beruht auf Weglassung des Schluß-N (S. 367). Die defektive Form קסר (statt קיסר) könnte gewählt worden sein, weil die symmetrische Zahl 666 erreicht werden sollte oder weil die Zahl älter war als der Name (S. 367).

c) Lohmeyer (1926)

Lohmeyer geht davon aus, das Rätsel sei „für solche geschrieben, die seine Lösung kennen; für alle anderen soll es unverständlich und unlöslich sein" (S. 117). Die Gematrie lehnt er als Lösungsweg ebenso ab wie die zeitgeschichtliche Deutung des Tieres (S. 118). Vielmehr erklärt er, im Anschluß an G. A. van den Bergh van Eysinga (III Nr. 32), die Zahl 666 als sogenannte Dreieckszahl: 666 ist die Summe aller Zahlen von 1 bis 36, 36 ist die Summe aller Zahlen von 1 bis 8; also steht 666 für die Achtzahl (S. 118 f.). Das Tier ist nach Apk 17, 11 das achte; in dieser Zahl liegt „die dämonische Furchtbarkeit des Antichrist beschlossen" sowie „die Gewißheit seines baldigen Sturzes" (S. 119). Von einer Deutung auf Nero kann für Lohmeyer keine Rede sein, denn die „eschatologische Anschauung des Sehers" sei „nicht von zeitgeschichtlichen Beziehungen, sondern von dämonisch mythischen Mächten und ihren Wirkungen bestimmt" (S. 119).

d) Hadorn (1928)

Zufolge Hadorn war das hebräische Alphabet zur geheimnisvollen Verschlüsselung besonders geeignet, wenn Außenstehende, die nur des Griechischen mächtig waren, gefürchtet werden mußten (S. 148). Die Zahl 666 kann zunächst, als „Zahl des Tieres", auf θηρίον bezogen werden, das, hebräisch geschrieben (תריון), tatsächlich einen Zahlwert von 666 ergibt (S. 146). Die gleiche Summe ergeben aber auch die hebräischen Buchstaben נרון קסר; das „Tier" ist also Nero redivivus (S. 147 f.). „Das Zusammentreffen der Doppeldeutung . . . mußte jedermann bedeutsam erscheinen" (S. 148). Hadorn entscheidet sich bewußt für gematrische Deutung, da unter den Lesern der Apokalypse Judenchristen waren, die das hebräische Alphabet und seine Zahlwerte kannten (S. 148); die Dreieckszahlenspekulation (Lohmeyer) lehnt er ab (S. 146 f.).

e) Sickenberger (1942)

Wie Lohmeyer, so lehnt auch Sickenberger gematrische Methode und zeitgeschichtliche Deutung ab (S. 135 f.). Er schließt die Rechnungen mit den Dreieckszahlen 666, 36, 8 und den Bezug zum achten König von Apk 17, 11 nicht gerade aus (S. 134 f.), doch wichtiger sind ihm die dreifache 6 in 666 und die negative Bedeutung der 6, 60 und 66 in der Bibel (S. 135). „Eine Beachtung der Zahl des vom Tiere beherrschten Menschen ergibt, daß er ein in jeder Beziehung grundschlechtes Wesen ist" (S. 135). An römische Kaiser kann nach Sickenberger überhaupt nicht gedacht werden (S. 136).

f) Wikenhauser (1959)

Wikenhauser weicht einer Entscheidung aus; er vermutet jedoch Gematrie und neigt der Deutung auf Neron Qesar (666) bzw. Nero Qesar (616) zu (S. 110). Die gematrische Benutzung des hebräischen Alphabets in einem griechischen Text ist gut denkbar, da es in den kleinasiatischen Gemeinden Judenchristen gab und eine verhüllende Form der Rede vom Antichrist zudem politisch geboten war (S. 110; vgl. Hadorn). „Sieht man in dem Antichristen den ‚wiederkehrenden Nero' (vgl. Apk 17, 11), so wird man diese Deutung der Zahl 666 als die beste bisher vorgebrachte Lösung des Rätsels ansehen dürfen, wobei allerdings gesagt werden muß, daß sie keinen Anspruch auf volle Sicherheit erheben kann" (S. 110).

g) Kraft (1974)

Ausführlich erörtert Kraft die von der Exegese bisher vorgeschlagenen Wege, das Rätsel der Zahl 666 zu lösen (S. 183 bis 185), darunter auch die gematrische Methode mit der Deutung נרון קסר (S. 184). „In Wirklichkeit ist es aus methodischen Gründen unmöglich, allein aus dem 13. Kapitel die Lösung zu finden. Die gematrische Kunst erlaubt, nahezu jeden römischen Kaiser hier auszurechnen" (S. 185). Seinen Lösungsvorschlag unterbreitet Kraft erst bei seiner Auslegung von Apk 17, 10 (S. 222): M. Nerva († Frühling 98 n. Chr.); die Summe der griechischen Buchstaben M. NEPOYA ergibt 666!

Stellungnahme

Das Zahlenrätsel kann nur durch Anwendung der Gematrie gelöst werden, d. h. durch das Finden eines Namens oder Wortes aus Buchstaben, deren Zahlwert zusammen 666 betragen muß. Darin stimmen Bousset, Charles, Hadorn, Wikenhauser und Kraft überein. Nur Kraft rechnet mit dem griechischen Alphabet; die anderen Kommentatoren setzen das hebräische voraus. Lohmeyer spekuliert mit Dreieckszahlen, da ihm die dämonisch-mythischen Mächte der Apokalypse nicht zu zeitgeschichtlichen Bezügen passen wollen; Sickenberger, in der Ablehnung der zeitgeschichtlichen Fragestellung mit Lohmeyer einig, liest aus der Zahl 666 eine negative Symbolbedeutung der so bezeichneten Gestalt heraus. Überzeugender als Krafts Vorschlag, M. Nerva, erscheint mir noch immer die Deutung auf Nero redivivus (Bousset, Charles, Hadorn; vorsichtig: Wikenhauser).

10. Die Hure Babylon (Apk 17, 1–18)

a) Bousset (1906)

Von der Frau, die auf dem siebenköpfigen Tier reitet (Apk 17, 3) und als die große Hure bezeichnet wird (Apk 17, 1 f.), schreibt Bousset: „Es kann kein Zweifel sein, daß mit der Hure die Stadt Rom gemeint ist" (S. 403). Babylon, dessen traditioneller Topographie (Jer 51, 13) die „vielen Wasser" entlehnt sind, steht auch sonst (Apk Bar syr 67, 7; Sib 5, 143.159; 1 Petr 5, 13) für Rom (S. 403). Das Reittier der Frau (Apk 17, 3.8) ist identisch mit dem Tier aus dem Meer von Apk 13, 1–10 [der zweiten Person der teuflischen Trinität, siehe oben II 8], dem römischen Reich bzw. dem mit diesem gleichgesetzten Nero redivivus (S. 405 f.). Die sieben Häupter des Tieres erfahren eine doppelte Deutung: auf die Berge der siebenhügeligen Roma und auf sieben römische Könige, deren Zählung, mit Augustus beginnend, über Vespasian als den sechsten zu Titus als dem siebenten führt (S. 406). „Das Weib ist Rom, die Herrin der ganzen Welt" (S. 410 zu Apk 17, 18).

In einem eigenen Exkurs zu Apk 17 (S. 410–418) behandelt Bousset ausführlich die römische Hoffnung auf Nero redivivus (S. 411 f.) und unternimmt den Versuch einer Quellenscheidung (S. 414 f.). Der unter Vespasian geschriebenen Quelle weist er die Verse 1–7. 9–11. 15–18, einem späteren Bearbeiter die Verse 8.12–14 und einzelne Worte in den Versen 6, 9 und 11 zu; die Quelle könne, ohne die vom Bearbeiter stammende Erwähnung der christlichen Märtyrer in Apk 17, 6, von einem jüdischen Verfasser stammen, der nach der Zerstörung Jerusalems auf eine „Bestrafung des gottlosen Rom durch Nero und die Parther" hoffe (S. 415). Für den Apokalyptiker letzter Hand ist dann „nicht mehr die Zerstörung Jerusalems, sondern die Verfolgung der Christen . . . die Sünde Roms"; Nero ist ihm identisch mit dem Tier, das aus dem Abgrund der Hölle wiederkehren wird (S. 416).

Das Bild vom Weib auf dem Tier stammt möglicherweise aus vorvespasianischer Zeit (S. 417). Auch die Weissagung von den sieben Königen ist höchstwahrscheinlich ein mythischer Stoff aus alter Überlieferung, der auf astrologischen Spekulationen über die sieben Planeten beruht; jüdisch-christliche Tradition hat einen Stoff, der auf das Weltall und seine Herrscher bezogen war, auf das römische Weltreich und seine Herrscher umgedeutet (S. 417 f.).

b) Charles (1920)

In Anlehnung an Wellhausen (III Nr. 488) unterscheidet Charles zwei Quellen, A und B (II, S. 58 f.). Der ersten Quelle (A) weist er die Verse 1 c, 2, 3 b–6 (ohne καὶ ἐκ . . . 'Ιησοῦ), 7, 18, 8, 9 und 10 (mit verschiedenen Tilgungen) zu; in ihr sind das Tier das Imperium Romanum, die sieben Häupter des Tieres sieben römische Kaiser (S. 59). Fünf der Kaiser gehören der Vergangenheit an, einer, Vespasian, „ist", der siebente, Titus als der Zerstörer Jerusalems, wird bald untergehen; dadurch ist das

Datum fixiert und judenchristliche Verfasserschaft als wahrscheinlich erwiesen (S. 59 f.). Quelle A lag dem Apokalyptiker vermutlich in der griechischen Übersetzung einer hebräischen Grundschrift vor (S. 61).

Zur Quelle B gehören nach Charles die Verse 11 (ohne ὃ ἦν ... ὑπάγει), 12, 13, 17 und 16; in diesem fragmentarisch überlieferten zweiten Orakel ist das Tier Nero, der aus dem Osten zurückkommt, und nicht, wie in A, das römische Reich (S. 60). Während in A das Tier als Anhänger der Hure – d. h. Roms – erscheint (Apk 17, 3), ist in B (Apk 17, 12.16) das Tier der Zerstörer Roms (S. 60, Anm. 1). Quelle B wurde wohl von einem Juden während der Herrschaft des Titus geschrieben (S. 60).

Schließlich fügte der christliche Apokalyptiker letzter Hand die beiden Quellen zusammen und gab dem Ganzen einen neuen Sinn, u. a. durch verschiedene Interpolationen; in Apk 17, 8 verschiebt er durch Einschaltung von ἦν καὶ οὐκ ἔστιν ... ὑπάγει und ὅτι ἦν ... παρέσται die Bedeutung des Tieres vom römischen Reich zu Nero redivivus (S. 60). Auch in Apk 17, 11 interpoliert er zwei Passagen und läßt dadurch aus der Erwartung eines irdischen Nero, der aus dem Osten an der Spitze der Parther zurückkehren soll, die Erwartung eines dämonischen Nero wie in Apk 17, 8 werden; nur in Apk 17, 3 ist das Tier noch das Imperium Romanum (S. 61).

In der von Charles nach den Prämissen seiner Quellenscheidung durchgeführten Einzelexegese deutet er ausdrücklich die Hure von Apk 17, 1 auf die Stadt Rom (vgl. Jes 23, 16 f.; Nah 3, 4); ihr Name Babylon (Apk 17, 5) begegnet u. a. Apk Bar syr 67, 7 als Deckname Roms, während die „vielen Wasser" in der Tat zum traditionellen Bilde Babels (Jer 51, 13 = 28, 13 LXX) gehören (S. 62).

c) Lohmeyer (1926)

Die Bezeichnung Hure drückt nach Lohmeyer den Abscheu vor dem heidnischen Götzendienst aus; „viele Wasser" sind eine

Anspielung auf die geographische Lage Babylons nach Jer 51, 13 (S. 140). Das Sitzen der Frauengestalt auf dem Tier (Apk 17, 3) ist „wohl ein Zug, der auf orientalische Götterbilder verweist"; „daß eine deifizierte irdische Macht so dargestellt werden könnte, ist ohne jedes Beispiel" (S. 141). Das Reittier ist mit dem Tier von Apk 13, 1–10 identisch und wie dieses auf den Antichrist zu deuten (S. 141). Als bewußter Gegensatz ist der Himmelsfrau von Apk 12 hier (Apk 17, 4) die Frau „in allem Reichtum der Erde" gegenübergestellt; diese „Gegensätzlichkeit der Bilder ... empfängt erst dann einen klaren Sinn, wenn das Weib nicht Rom, sondern eine dämonische Macht ist" (S. 141). Die Inschrift auf der Stirn der Frau (Apk 17, 5) hat nach Lohmeyer „einen spezifisch religiösen Sinn", der nicht mit der Deutung auf Rom vereinbar sei; „wie es überhaupt möglich sein soll, Rom als letzte Ursache alles heidnischen Unwesens vorzustellen, bleibt unerklärlich" (S. 141).

Apk 17, 9 deutet die sieben Häupter des Tieres sowohl auf sieben Berge als auch auf sieben Könige; da jedoch die Siebenzahl eine feste apokalyptische Tradition ist und es dem Apokalyptiker auf den „Achten" ankommt, wozu die mandäische Literatur Parallelen bietet, findet Lohmeyer „nirgends eine historische Beziehung" (S. 143). Ausdrücklich lehnt er eine Deutung auf Rom, Nero redivivus, sieben römische Kaiser und zehn Satrapen ab (S. 145) und verweist auf den letztlich babylonischen Mythus von planetarischen Dämonen; Babylon ist nichts weiter als der „Inbegriff der gottfeindlichen Macht" (S. 145 f.).

„So scheint Kapitel 17 in keiner Weise auf bestimmte zeitliche Ereignisse oder bestimmte geschichtliche Mächte sich zu beziehen, sondern von den Elementen einer kaum mehr verstandenen mythischen Tradition zu handeln, nach der eine Dämonin, der Inbegriff der ‚Welt', und ein satanisches Ungeheuer vereint an der Spitze von ursprünglich planetarischen Dämonenfürsten gegen ‚das Lamm' sich erheben und besiegt im Kampf gegeneinander entbrennen, in dem das dämonische Weib, die Repräsentantin der ‚Welt', getötet wird" (S. 147).

d) Hadorn (1928)

Die „vielen Wasser" (nach Jer 51, 13; Ez 26, 17) werden genannt, um anzudeuten, „daß alles, was in der Weissagung der Schrift von Babel ausgesagt ist, jetzt auf Rom zutrifft" (S. 169). Das Tier (Apk 17, 3) ist nach Hadorn identisch mit dem Tier von Apk 13, 1–10; „bedeutet das Tier das *Weltreich*, das Imperium mit dem Kaiser, so ist durch die auf dem Tier sitzende Frau die enge Verbindung der *Weltstadt* mit diesem kaiserlichen Weltreich durchaus natürlich, plastisch und wahr ausgedrückt" (S. 169). Auf die Christenverfolgung unter Nero bezieht sich die Trunkenheit vom Blute der Heiligen (Apk 17, 6) (S. 170). Die sieben Häupter des Tieres erfahren Apk 17, 9 eine doppelte Deutung: auf die urbs septicollis Rom (diese Bezeichnung „ist in der römischen Literatur so häufig, daß jede andere Deutung ausgeschlossen ist") und auf sieben Könige (S. 173). Nach dem jetzt regierenden römischen Kaiser wird „einer ... noch kommen, aber nur für kurze Zeit, dann kommt der Antichrist, nicht als ein Un- / geheuer, sondern als ein römischer Kaiser" (S. 173 f.).

Hadorn denkt bei den fünf Kaisern der Vergangenheit an Augustus, Tiberius, Caligula, Claudius und Nero; der sechste ist Galba (bzw. einer der anderen Prätendenten) oder Vespasian, der achte soll ein Nero redivivus sein (S. 175). Alle sogenannten „kirchengeschichtlichen" Deutungen – auf den Papst und das päpstliche Rom, auf Staats- und Landeskirchentum oder Kirchentum schlechthin – weist Hadorn zurück (S. 175 f.). Die Apokalypse verstand biblische Worte über Babel, Edom und Tyrus als Typos auf Rom; so erkennen auch wir in der Apokalypse zeitlos gültige Geschichtstheologie (S. 176).

e) Sickenberger (1942)

In Apk 17 schaut der Apokalyptiker „die große Hure", d. h. „ein Weib, das der Sünde der Unzucht in größtem Ausmaß ergeben war"; seine Gefährten, „die Könige der Erde", sind nach Sickenberger „die mit dem Weibe verbündeten weltlichen Regenten" (S. 153). Zu den „vielen Wassern" sind Jer 51, 13 und Ps 137, 1 zu vergleichen; die Frau sitzt auf einem Tier, d. h.: sie wird „von ihm getragen und gestützt" (S. 153). Dieses Tier ist dasjenige von Apk 13, 1, der „Dämon Antichrist"; Babylon wird „schon im Alten Testament als Repräsentantin des Götzendienstes geschildert" (S. 154). In Analogie zu Gott, dem Seienden, Gewesenen und Kommenden (Apk 1, 4.8; 4, 8; 11, 17), heißt es Apk 17, 8 vom antichristlichen Dämon, er sei gewesen, sei nicht und werde wieder auftauchen; die vergangene Tätigkeit des Tieres ist nach Sickenberger „wohl ein Hinweis auf die vier danielischen Weltreiche", die künftige wird in „großer Verführung" und der Gewinnung „zahlreicher Anhänger" bestehen (S. 155). Sickenberger schließt aus dem οὐκ ἔστιν, daß das gottfeindliche Wirken des Antichrists ein zukünftiger, kein gegenwärtiger Akt sei (vgl. 2 Thess 2, 6); „damit ist allen zeitgeschichtlichen Deutungen des Tieres, besonders der so beliebten Deutung auf Rom und das imperium Romanum mit seinem Götzen- und Kaiserkult, der Boden entzogen" (S. 155).

Konsequent weigert sich Sickenberger auch im folgenden, mit der Möglichkeit zeitgeschichtlicher Deutung zu rechnen: Die sieben Berge (Apk 17, 9) sind nicht die sieben Hügel Roms, sondern (vgl. Jer 51, 25) sieben mythische Berge des Verderbens, die sieben Könige (Apk 17, 9 f.) sind „endzeitliche Könige" (S. 156). In der Schlußkatastrophe wird sich der antichristliche Dämon zum achten König machen (Apk 17, 11), „d. h. wohl in Nachahmung der Inkarnation Christi Menschengestalt annehmen" (S. 157). Eine Deutung von Apk 17, 10 f. auf römische Kaiser komme nicht in Frage (S. 157 f.); „zudem betrachtete das Urchristentum das römische Kaisertum nicht wie eine Bestie und Hure, sondern als eine verehrungswürdige Einrichtung (vgl. Röm 13, 1 ff. und 1 Petr 2, 14 ff. . . .)" (S. 158). Schließlich (Apk 17, 18) spricht der Engel die „Gleichung: Hure = Welthauptstadt direkt aus" und hebt „das Untertanenverhältnis der andern irdischen Könige ihr gegenüber" hervor; „ἔστιν deutet bloß die Gleichung an und ist kein Beweis dafür, daß diese Stadt zur Zeit des Johannes schon existiert; es ist ein Zukunftsbild" (S. 160). Tier und Hure, Antichrist und götzendienerisches Weltregiment haben für Sickenberger nichts mit der Gegenwart des Sehers zu tun, sondern sind Schrecken der eschatologischen Zukunft.

f) Wikenhauser (1959)

Wikenhauser sieht die Vision des Apokalyptikers (Apk 17, 1-6) in Analogie zum Babylon des Alten Testaments (vgl. Jer 51, 13); „das Weib reitet auf dem Tier, die Macht des Reiches trägt die Stadt" (S. 125 f.). Zur Deutung der Vision (Apk 17, 8–18) schreibt er: „Der Apokalyptiker durfte sich offenbar nicht deutlicher ausdrücken. Gerade / wenn in dem Tier eine zeitgeschichtliche Person oder Institution verkörpert war, mußte es äußerst gefährlich sein, offen zu reden" (S. 127 f.).

Die sieben Köpfe des Reittieres werden (Apk 17, 9) sowohl auf die sieben Hügel der Stadt Rom gedeutet als auch auf sieben Könige; „das Tier stellt also ein Reich mit sieben aufein-/anderfolgenden Königen dar" (S. 128 f.). Von diesen Herrschern gehören fünf der Vergangenheit, der sechste der Gegenwart des Sehers an; der siebente wird nur kurz regieren, der achte ist der Antichrist und, da er unter den vorangehenden sieben schon dawar und wiederkommen wird, Nero redivivus (S. 129). Wikenhauser schließt sich in seiner vorsichtigen Art dem Vorschlag von Cerfaux und Cambier (III Nr. 96) an, die als die sieben Kaiser Augustus, Tiberius, Caligula, Claudius, Nero, Vespasian und Titus zählen und den achten mit Domitian gleichsetzen; der Apokalyptiker schreibt unter Domitian, tut aber so, als schriebe er unter Vespasian, so daß er „weissagend" den Christenverfolger Domitian mit Nero redivivus identifizieren kann (S. 131).

g) Kraft (1974)

Die große Hure (Apk 17, 1) ist Babylon, von dem bereits Apk 14, 8; 16, 19 die Rede war; als Hure kann das Alte Testament (Jes 1, 21; Ez 16, 15–35; vgl. Ez 23) die Götzendienst treibende Stadt Jerusalem bezeichnen (S. 212). Hinter dem Bild von der reitenden Frau (Apk 17, 3) dürfte die kleinasiatische Muttergottheit Kybele stehen, die Magna Mater (vgl. Apk 17, 5), die auf dem Löwenthron sitzt bzw. auf dem Löwen reitet (S. 213). Der Apokalyptiker deutet sie um zur Personifikation der gottfeindlichen Stadt auf dem Antichrist; die Verehrung der Dea Roma hat sich mit dem Kult des lebenden Kaisers verbunden (S. 213 f.). „Daher ist im folgenden auch der Kaiser das Subjekt der maskulinen Prädikate des Tiers" (S. 214). Durch die Aussage, daß das Tier „war, nicht ist und heraufkommen wird" (Apk 17, 8), stellt es der Apokalyptiker in den Gegensatz zu Gott, „der ist, war und kommt" (S. 217). Möglicherweise hat die Sage von Nero redivivus „bei der Gestaltung unserer Weissagung mitgewirkt"; „hier jedenfalls ist nicht die Rückkehr Neros, sondern die Erscheinung des Antichristen geweissagt" (S. 218).

Für den zweiten, deutenden Teil des Kapitels (Apk 17, 9–18) rechnet Kraft mit nachträglichen Veränderungen und Interpolationen; zu ihnen zählt er auch die doppelte Deutung der sieben Häupter in Apk 17, 9 (S. 220). Die „sieben Berge" sind eingeführt worden, um die Frau eindeutig mit der Siebenhügelstadt Rom zu identifizieren; mit den sieben Königen (Apk 17, 9 f.) sind sieben römische Kaiser gemeint (S. 221). Die Weissagung Apk 17, 10 kann nur geschrieben sein zu einer Zeit, da zwar noch der sechste Kaiser regiert, aber der siebte schon bekannt ist; dies ist nur möglich unter Nerva, nachdem Trajan bereits Mitregent geworden ist, also zwischen Sommer 97 und Frühjahr 98 n. Chr. (S. 222). Auch das Zahlenrätsel von Apk 13, 18 will Kraft auf Nerva deuten; der Zahlenwert von M. NEPOYA beträgt 666 (S. 222). „Daraus folgt, daß das, was über die Zeit des Siebten gesagt ist, Weissagung und nicht Geschichtsschreibung darstellt" (S. 222). Zur Datierung auf Nerva als das sechste Haupt paßt die Aussage, daß das Tier in der Gegenwart nicht existiere; die Christenverfolgungen Domitians gehören der Vergangenheit an (S. 222). Am Ende des Kapitels (Apk 17, 18) erklärt der Apokalyptiker, ähnlich wie in Apk 17, 9, „das Weib auf eine Weise, die jeden andern Gedanken als an die Großstadt Rom ausschließen soll" (S. 225).

Stellungnahme

Die Hure Babylon erfreut sich seit alters in der Kirchengeschichte großer Beliebtheit als Deckname für den jeweiligen theologischen Gegner; heute noch sehen Freikirchen und Sekten häufig in ihr ein Bild für die offizielle Kirche. Solche Deutung hat in der wissenschaftlichen Exegese von Apk 17 keinen Anhaltspunkt (Hadorn); für den Apokalyptiker ging es nicht um innerchristliche Häresie, sondern um den Absolutheitsanspruch des römischen Staates.

Daß die Hure Rom und ihr Reittier das antichristliche römische Imperium bedeute, ist die übereinstimmende Auffassung der Kommentatoren Bousset, Charles, Hadorn, Wikenhauser und Kraft. Nur Lohmeyer und Sickenberger sehen in Frau und Tier mythisch-dämonische Gestalten künftigen, endzeitlichen Schreckens; von einer negativen Bewertung Roms im Neuen Testament will Sickenberger nichts wissen, doch verkennt sein Hinweis auf Obrigkeitsparänese wie Röm 13, 1–7 und 1 Petr 2, 13–17 die Situation der Gemeinden in Kleinasien und die Besonderheit einer Martyriumstheologie. Die Sage von Nero redivivus hat offenbar die Weissagung von der Identität des kommenden Antichrists mit einem Kaiser der Vergangenheit bestimmt (Bousset, Charles, Hadorn, Wikenhauser; vorsichtig Kraft). Die Identifizierung der sieben Kaiser schwankt, da der Autor die ihm vorgegebene apokalyptische Zahl Sieben verschieden füllen konnte (Kraft). Originell ist die Deutung Krafts auf Nerva als den sechsten und Trajan als den siebten Kaiser.

Dennoch ist der Vorzug wohl der von Wikenhauser aufgenommenen These von Cerfaux-Cambier zu geben, wonach der Apokalyptiker unter Domitian schrieb, aber bewußt den Eindruck erweckte, sein Orakel sei unter Vespasian entstanden; dann sind die sieben Kaiser Augustus, Tiberius, Caligula, Claudius, Nero, Vespasian und Titus, der achte Domitian als Nero redivivus.

11. Das tausendjährige Reich (Apk 20, 1–6)

a) Bousset (1906)

Hinter dem Bild vom Drachen, den ein Engel für tausend Jahre fesselt und gefangensetzt (Apk 20, 1–3), steht eine „uralte Überlieferung" aus Mythologie und Eschatologie sowohl des Parsismus als auch der alttestamentlich-jüdischen Literatur; der Apokalyptiker freilich „verlegt auch die erste Besiegung des Drachen an das Ende" (S. 436). Der Drache ist wie Apk 12, 9 identisch mit dem Teufel (S. 436). Mit dem Sieg über das mythische Ungeheuer wird die Idee vom Zwischenreich verknüpft (vgl. äth Hen 93, 1–14; 4 Esr 7, 28 ff. u. ö.), dessen Dauer von der jüdischen Literatur verschieden angegeben wird; die tausend Jahre erinnern an die Berechnung der Weltepochen in sl Hen 33 und stammen letztlich wohl aus der iranischen Eschatologie (S. 437).

Die Verse 4–6, eine Schöpfung des Apokalyptikers letzter Hand (S. 438), lassen das Zwischenreich mit einem partiellen Gericht beginnen. Als die – vom Apokalyptiker nicht näher definierten – Gerichtsbeisassen Gottes sind nach Bousset vielleicht Christus und die Engel, jedenfalls nicht die im folgenden genannten Märtyrer zu denken (S. 437). Apk 20, 4 unterscheidet offenbar „zwei Klassen von Märtyrern": „die, welche überhaupt um der christlichen Offenbarung willen das Martyrium auf sich genommen haben", und „die Märtyrer, die speziell in der Verfolgung des Tieres standhaft geblieben sind"; „dabei denkt sich der Apokalyptiker offenbar die letzte Gruppe von Gläubigen noch teilweise am Leben" (S. 437). „Das tausendjährige Reich wird nicht nur denen verheißen, die im Martyrium vollendet sind, sondern allen, die nur im Kampfe ausgeharrt haben, ohne daß sie gerade den Tod erlitten hätten" (S. 437). Die Tendenz der Apokalypse, zum Martyrium zu ermutigen, wird deutlich: „Die Märtyrer, und nur die Märtyrer, erleben die erste Auferstehung und nehmen Teil an der Königsherrschaft und Freude des tausendjährigen Reiches"; „alle übrigen – also auch die Gläubigen, die eines ruhigen Todes sterben – werden zunächst nicht wieder aufleben" (S. 438). „Diejenigen, die an der ersten Auferstehung teilnehmen, sind natürlich dem zweiten (endgültigen) Tode entnommen ... Sie herrschen mit Christus, d. h. Christus wird aller Wahrscheinlichkeit nach auf Erden persönlich anwesend gedacht" (S. 438).

b) Charles (1920)

Bekanntlich schreibt Charles Apk 20, 4–22, 21 einem Bearbeiter und „Herausgeber" zu (siehe oben II 1); Apk 20, 1–3 hält er für eine genuine Schöpfung des Apokalyptikers (II, S. 140). Dagegen trennt er Apk 20, 4 ff. vom Vorausgehenden ab und ordnet die Verse hinter Apk 22, 17 ein (S. 180). In Apk 20, 1–3 setzt die Gefangennahme und Fesselung Satans seinem Wirken auf der Erde für tausend Jahre ein Ende (S. 140). Der Drache wird, wie Apk 12, 9, mit Paradiesschlange (Gen 3), Teufel und Satan gleichgesetzt (S. 141); die jüdische Literatur (äth Hen 18, 12–16; 19, 1 f.; 21, 1–6) kennt Beispiele für die Fesselung gefallener Engel (S. 141 f.). Die Dauer des von den Juden erwarteten messianischen Reiches war vor 100 v. Chr. unbegrenzt; äth Hen 91–104 und PsSal 1–16 rechnen erstmals mit einem Ende des Messiasreiches (S. 142). Nach 4 Esr 7, 28 währt dieses Reich 400 Jahre; nur die Apokalypse kennt eine tausendjährige Dauer (S. 143).

Als selbständige Vision exegesiert Charles Apk 20, 4–6; der Seher schaut die verklärten Märtyrer, die allein an der ersten Auferstehung teilhaben und mit Christus für tausend Jahre regieren (S. 180 und 182). Mit diesen Märtyrern identifiziert Charles diejenigen, die sich zum Gericht auf Thronen niederlassen; er verweist dabei auf die Parallelen Dan 7, 9. 22. 26 (LXX Theod); Mt 19, 28; 1 Kor 6, 2 f. (S. 182). Mit Hilfe einer Umstellung des Textes von Apk 20, 4 will Charles die sprachliche Logik herstellen (S. 183). Bezüglich der tausendjährigen Dauer des messianischen Reiches wird noch die Parallele sl Hen 32, 2–33, 2 (vgl. Barn 15, 2–8) angeführt; auf 6000 Jahre Weltgeschichte folgt eine tausendjährige Sabbatruhe (S. 184). Zufolge Apk 20, 5 erhalten nicht einmal die Frommen, die nicht als Märtyrer gestorben sind, Anteil an der ersten Auferstehung (S. 184); diese ist mit den frühesten Auslegern wörtlich zu verstehen als „tatsächliche Herrschaft Christi mit den verklärten Märtyrern auf Erden" (S. 185). Der „zweite Tod" (Apk 20, 6) wird auch Apk 2, 11; 20, 14; 21, 8 (vgl. Mt 10, 28) genannt, wobei Apk 20, 14 b wohl Interpolation ist; von ihm sind diejenigen ausgenommen, welche Treue bewahren bis zum Ende (S. 186).

c) Lohmeyer (1926)

Ein Engel bindet den letzten noch übriggebliebenen Feind, den Drachen, dessen Namen aus Apk 12, 9 übernommen worden sind; als vorübergehender Aufenthaltsort wird ihm der Abgrund zugewiesen (S. 161). Die Vorstellung von der Fesselung ist aus dem Parsismus ins Judentum eingedrungen (Jes 24, 22; äth Hen 18 f. 21; Or Man 3 f.). Mit dieser Vorstellung verknüpft der Seher diejenige vom Zwischenreich (äth Hen 91–94; Sib 3, 1–62 u. ö.), dessen Dauer verschieden angegeben wird; tausend Jahre nennt zum erstenmal sl Hen 33 (S. 161). „Die Fesselung auf 1000 Jahre (nicht als Strafe, sondern als Vorbeugung) scheint ein Ausgleich der Tradition vom Zwischenreich mit verschiedenen Varianten vom Ende des Antichrist, der wohl vom Seher vorgenommen ist . . ." (S. 161).

Auch Lohmeyer identifiziert die Gerichtsbeisassen von Apk 20, 4 mit den Märtyrern; für ihre Standhaftigkeit im Martyrium werden die Gläubigen dadurch belohnt, daß sie „im messianischen Reich Richter und Könige und Priester" sein dürfen (S. 162). „In der Plerophorie des Ausdruckes für die Märtyrer verrät sich das paränetische Interesse" (S. 162). Nur Apk 20, 5 f. findet sich die „erste Auferstehung"; statt von der „zweiten Auferstehung" spricht der Seher vom „zweiten Tod", so daß erste Auferstehung und zweiter Tod der Joh 5, 29 vorgenommenen Scheidung zwischen Lebens- und Gerichtsauferstehung entsprechen: Wer dem Gericht entnommen ist, hat teil an der ersten Auferstehung (S. 162). Ein Makarismus für die Priester und Könige, die mit dem Messias tausend Jahre regieren, beschließt die vierte Vision; das Richteramt der Erlösten wird nicht mehr erwähnt (S. 162 f.).

d) Hadorn (1928)

Die Überwindung des Drachen, dessen Bezeichnung als „alte Schlange" an den Urschaden, den Fall Adams, erinnert, vollzieht sich auf der Erde; Gott sendet als Gerichtsdiener einen Engel, der den mit Schlange, Teufel und Satan identischen Drachen bindet und für tausend Jahre inhaftiert (S. 194). Nach Jes 24, 21 f. basiert die Vorstellung von der befristeten Haft teuflischer Ungeheuer, gut bezeugt in parsischer Mythologie und jüdischer Literatur (Apk Bar syr 40; Or Man 2–4), auf astralen Voraussetzungen, die der Apokalyptiker jedoch ignoriert, indem er den ererbten Stoff ins Ethische und Religiöse umdeutet (S. 194). Durch eine Zwischenzeit wird die Überwindung des Drachen in zwei Akte zerlegt; der Seher bezieht diese Überlieferung räumlich und zeitlich in die Geschichte ein und kommt so zu einem problematischen „räumlichen Nebeneinander von einer erlösten und einer noch nicht erlösten Menschheit" (S. 194). Eine zeitgeschichtliche Deutung dieser Weissagungen ist zufolge Hadorn nicht möglich (S. 195). Die Gerichtsbeisassen (Apk 20, 4) sind die Märtyrer, die mit Christus richten, leben und herrschen dürfen (vgl. Mt 19, 28); κρίμα ist als Macht zum Gericht zu verstehen (S. 195 f.). Die übrigen Toten (Apk 20, 5) werden nicht bei der ersten Auferstehung, sondern erst nach Vollendung der tausend Jahre lebendig; mit ihnen sind wahrscheinlich diejenigen Toten gemeint, „die außerhalb des christlichen Heils verstorben sind" (S. 196). Ein abschließender Makarismus (Apk 20, 6) gilt denjenigen, die an der ersten Auferstehung teilhaben; das priesterliche Königreich, nach Apk 5, 10 auf Erden zu denken, ist Tatsache geworden (S. 196).

In eigenen Exkursen untersucht Hadorn zusammenhängend das Millennium (S. 196 f.) und den Chiliasmus der Apokalypse (S. 197–199). Die Erwartung eines Zwischenreiches stammt aus dem Judentum, von dessen Texten 4. Esra die größte Verwandtschaft mit der Apokalypse aufweist; freilich dauert hier das Zwischenreich 400 Jahre, und zufolge 4 Esr 7, 29 wird der Messias sterben (S. 196 f.). Die tausend Jahre der Apokalypse entsprechen dem tausendjährigen Weltensabbat (vgl. Hebr 4, 1 ff.), der nach synagogaler Theologie den letzten Tag der siebentausendjährigen Weltenwoche bildet (S. 196). Da Hadorn den politischen Nationalismus der jüdischen Apokalyptik als abstoßend empfindet, kommt er zu dem Schluß: „Die Wurzeln der johanneischen Erwartung liegen nicht im Spätjudentum, sondern im Alten Testament, so daß auch der johanneische Chiliasmus doch etwas prinzipiell anderes ist als der spätjüdische und zum Teil auch der nachapostolische" (S. 197).

e) Sickenberger (1942)

Der Drache, wie Apk 12, 9 gedeutet als die alte Schlange, Teufel und Satan, wird vom Engel „wie ein Kriegsgefangener" festgenommen und gefesselt (S. 178). Die tausend Jahre will Sickenberger nicht wörtlich aufgefaßt wissen, sondern als „schematische Zahl" und „Ausdruck für eine Periode, die Gott festsetzt", als „längere Zeit . . ., deren nähere Bestimmung nicht möglich ist", und als Symbol für die vollendete Fülle der irdischen Zeit (S. 178). Während dieser tausend Jahre kann der

Satan nicht mehr die Völker verführen (S. 178). Das in Apk 20, 4 genannte Gericht (vgl. Dan 7, 9) meint himmlische, nicht irdische Vorgänge; die vor die ungenannt bleibenden Richter Tretenden sind die Seelen von „Märtyrern der letzten großen Verfolgung" (S. 179). Eine Identifikation der Märtyrer mit den thronenden Richtern ist nach Sickenberger schon deshalb nicht wahrscheinlich, weil dann in Apk 20, 4 „jede Angabe über die, die gerichtet werden, fehlen würde" (S. 180).

Unter den „übrigen Toten" (Apk 20, 5) versteht Sickenberger die in den Verfolgungen von Gott Abgefallenen, deren Seelen „bis zur Vollendung des Millenniums in einem Zustand der Unseligkeit (s. Vers 13) ihr endgültiges Schicksal, das in der ewigen Verdammung bestehen wird, ... erwarten" (S. 180). Die „erste Auferstehung" deutet Sickenberger als Himmelfahrt der Seelen der Märtyrer und damit als „einen ersten Anteil an der Auferstehung", während die allgemeine – „zweite" – Totenauferstehung (Apk 20, 13; vgl. Joh 5, 29) eine Wiederbelebung des Leibes bringen wird (S. 180 f.). Der Makarismus in Vers 6 soll die Leser anspornen, in bevorstehenden Verfolgungen „Treue bis zum Tode" (Apk 2, 10) zu bewahren (S. 181).

Für die Kirche auf Erden sind die tausend Jahre, in denen Satan in der Hölle gefesselt ist und die Heiligen im Himmel wirken, eine „Periode des Friedens und der Ruhe" (S. 181 f.). Trotz Ps 90, 4 leugnet Sickenberger Beziehungen zu jüdischen und christlichen Spekulationen über Weltwoche und Sabbatruhe; die allegorische Erklärung Augustins verfehlt nach Sickenberger den Sinn von Apk 20 ebenso wie jedweder Chiliasmus (S. 182). „Es handelt sich wie bei allen Kämpfen mit den Tieren um Zukunftsweissagungen ..."; der Blick des Sehers ist „auf diese Schlußereignisse gerichtet" (S. 182).

f) Wikenhauser (1959)

Über den Satan ergeht ein vorläufiges Gericht, indem er für tausend Jahre im Abgrund, dem Aufenthaltsort der bösen Geister (vgl. Apk 9, 1 ff.), festgehalten wird; „die Fesselung Satans hat . . . den Zweck, die Zeit des messianischen Reiches von Störungen durch die von ihm verführten Völker (Apk 20, 8–10) freizuhalten" (S. 145). Die Idee des messianischen Zwischenreiches hat eine lange Geschichte; das ältere Judentum erwartete ein Messiasreich von ewiger Dauer und irdisch-nationalem Charakter als absolute Heilsvollendung, doch im 1. Jahrhundert n. Chr. erfährt die jüdische Zukunftserwartung eine tiefgreifende Umgestaltung (S. 146). Alternativ erwartet man eine Heilsvollendung im Jenseits, beginnend mit dem Weltgericht (äth Hen, sl Hen, Ass Mos), oder ein irdisch-nationales Messiasreich von begrenzter Dauer als Vorstufe einer „zeitlich nicht beschränkten Heilsperiode . . ., die erst die absolute Heilsvollendung darstellt" und mit allgemeiner Totenauferstehung und Gottes Weltgericht beginnt (S. 146). Nach der zweitgenannten Konstruktion ist das Messiasreich ein irdisch-nationales Zwischenreich zwischen Gegenwart und ewigem Gottesreich; „an ihm / haben nur die frommen Israeliten Anteil, welche seinen Anbruch erleben" (4 Esr 7, 28 ff.), während das ewige Gottesreich, universal-transzendent im Himmel (Apk Bar) oder auf einer erneuerten Erde (4 Esr) lokalisiert, nicht nur den Juden, sondern allen Guten offensteht (S. 146 f.). Zufolge der jüdischen Texte schwankt die Dauer des Zwischenreiches zwischen 40 und 7000 Jahren (S. 147).

In Apk 20, 4 nimmt „ein himmlischer Gerichtshof mit Christus als Vorsitzendem . . . auf den Thronen Platz und spricht den Christen ihr Recht, d. h. die Teilnahme an der Herrschaft des Messias zu" (S. 147). Trotz Mt 19, 28; Lk 22, 30; 1 Kor 6, 2 sind nach Wikenhauser die Richter nicht mit den auferweckten Märtyrern identisch (S. 147). Der „ersten Auferstehung" folgt am Ende des Millenniums eine zweite; in ihr werden „die übrigen Toten" auferweckt, „d. h. diejenigen, die nicht an der ersten Auferstehung Anteil hatten" (S. 147). Die Auferweckten der ersten Auferstehung sind ausnahmslos Märtyrer (S. 147 f.). Nach Apk 20, 4–10 ist die Stätte des tausendjährigen Reichs diese Erde, „wahrscheinlich Palästina mit Jerusalem als Hauptstadt"; die Zahl Tausend dürfte aus der jüdisch-frühchristlichen Tradition stammen, die mit einer Weltwoche von sieben Tagen zu je tausend Jahren (vgl. Gen 1, 1–2, 4; Ps 90, 4) und mit einer tausendjährigen messianischen Ruhezeit als dem siebenten Tag rechnet (S. 148).

Das tausendjährige Reich der Apokalypse hat die jüngere Enderwartung des Judentums zum Vorbild (S. 148); der Unterschied liegt nach Wikenhauser darin, daß das jüdische, messianische Zwischenreich auf dieser Erde realisierbar ist, jedoch nicht das Christusreich der Apokalypse (S. 149). „Es ist keine Frage, daß die Weissagung der Apokalypse vom tausendjährigen Reich *bildlich* zu verstehen ist" (S. 149); zwar schaut Johannes „wirklich die leibliche Auferweckung der Märtyrer und ihr Herrschen mit Christus auf Erden", aber „nicht unmittelbar, sondern nur symbolisch" (S. 150). Daher „nötigt uns nichts zur Annahme, daß nach des Sehers Meinung ein solches irdisches Christusreich einmal Wirklichkeit werden solle"; „das Christusreich der Apokalypse ist ganz unpolitisch vorgestellt, während im jüdischen Messiasreich eine Art Weltherrschaft des jüdischen Volkes sich verwirklichen soll" (S. 150).

g) Kraft (1974)

Die Gestalt des Engels mit dem Schlüssel zum Abgrund (Apk 20, 1) geht auf einen altjüdischen Mythus zurück; der Engel ist, nicht anders als in Apk 12, 7, Michael (S. 255). Apk 20, 2 wiederholt die Namen des Drachen aus Apk 12, 9 (S. 255). Die tausend Jahre sind nicht befristete Haftstrafe des Satans zu seiner Buße, sondern traditionelle Dauer des Zwischenreiches; sie stammen aus der Vorstellung, die Welt werde analog der Schöpfungswoche sieben Gottestage zu je tausend Jahren (vgl. Ps 90, 4) bestehen (S. 256). Da das Zwischenreich dem Schöpfungssabbat entspricht, ruht Gott und läßt die Weltregierung durch den Messias ausüben; zufolge Apk 20, 4 wird Christus dabei von den Märtyrern unterstützt (S. 256). Die Schriftgrundlage für die befristete Fesselung des Drachen ist Jes 24, 21 f. Der Ausschluß des Satans von der Erde ist eine Wiederholung von Gottes Schöpfungswerk; „wenn dem Satan alle irdische Macht genommen ist, dann – meint der Verfasser – herrschen Friede und Gottesfurcht" (S. 256).

Zu Apk 20, 4 betont Kraft, daß eine Umstellung der beiden Vershälften nicht in Frage kommen kann (S. 256); diejenigen, die sich auf die Throne setzen, sind (vgl. Dan 7, 9. 22. 26 f.; Mt 19, 28 ff.) identisch mit den im folgenden aufgezählten Märtyrern (S. 256 f.). „Gericht" bedeutet, absolut gesetzt, „das Richten im Sinne des Alten Testaments, die Herrschaft und königliche Gewalt, die Teilhabe an dem Königtum Christi" (S. 257). Die Beschreibung der Märtyrer will nicht Klassen von Märtyrern und Bekennern unterscheiden, sondern „kommt durch eine summarische Erinnerung an Kapitel 13 zustande" (S. 257).

Um von der im Judentum erwarteten Auferstehung zum Gericht (Dan 12, 2) zu unterscheiden, bezeichnet Apk 20, 5 die Auferstehung der Märtyrer als „erste Auferstehung", wobei keineswegs an eine Entrückung, sondern an die endgültige leibliche Auferstehung gedacht ist; die – nicht ausdrücklich erwähnte – „zweite Auferstehung" ist das Totengericht von Apk 20, 11 ff. (S. 257). – Die Seligpreisung in Apk 20, 6 hält Kraft für einen nachträglichen Einschub (S. 257).

Stellungnahme

Daß hinter der Vision von der Fesselung des Drachen ein uralter Mythus steht, den die jüdische Eschatologie rezipiert hatte, ist nicht zu bezweifeln (Bousset, Charles, Lohmeyer, Hadorn, Kraft). Auch die Vorstellung eines messianischen Zwischenreiches stammt aus jüdischer Tradition (Bousset, Charles, Lohmeyer, Hadorn, Wikenhauser, Kraft). Die Frist der tausend Jahre erlaubt keine symbolisierende Interpretation (gegen Sikkenberger), sondern beruht auf der von Ps 90, 4 geprägten jüdischen Weltwochen- und Weltsabbat-Spekulation (Bousset,

Charles, Lohmeyer, Hadorn, Wikenhauser, Kraft); zu zeitgeschichtlicher Deutung dieses Orakels besteht keine Veranlassung (so richtig Hadorn).

Die Gerichtsbeisassen Gottes in Apk 20, 4 sind schwerlich Christus und die Engel (Bousset, Sickenberger, Wikenhauser), sondern wohl doch mit den auferweckten Märtyrern gleichzusetzen (Charles, Lohmeyer, Hadorn, Kraft); ihr „Gericht" ist weniger als konkrete Verurteilung eines Angeklagten – etwa des Teufels – denn als königliche Herrschaftsfunktion und Machtbefugnis zu verstehen (Hadorn, Kraft). An eine Unterscheidung verschiedener Märtyrerklassen (Bousset) ist nicht gedacht (Kraft); das paränetische Interesse ist gerade in der Beschreibung der Märtyrer deutlich (Lohmeyer). Daß nur die Märtyrer der „ersten Auferstehung" gewürdigt werden, ist nach dem Textbefund deutlich; umstritten ist die Frage, ob die – nicht ausdrücklich genannte – „zweite Auferstehung" nur die Treulosen und Christusgegner erwartet, also gewissermaßen mit dem „zweiten Tod" identisch ist (Lohmeyer, Hadorn, Sickenberger), oder ob alle Nichtmärtyrer von der ersten Auferstehung und damit vom Millennium ausgeschlossen sind (Bousset, Charles, Wikenhauser, Kraft). Die zweite Annahme ist schon deshalb wahrscheinlicher, weil ein Gericht über Gute und Böse (Apk 20, 11–15) nur dann möglich ist, wenn nicht schlechthin alle Frommen schon durch die erste Auferstehung wiederbelebt wurden; die exklusive Heilszusage an die Märtyrer (vgl. Apk 20,6) paßt gut zum Tenor der Apokalypse. Gegen Sickenberger, der die „erste Auferstehung" als Himmelfahrt der Märtyrerseelen deutet, ist mit Kraft daran festzuhalten, daß bereits diese erste Auferstehung endgültig und leiblich, also nicht als partielle Wiederbelebung oder als Entrückung gedacht ist.

Ganz wörtlich und „irdisch" ist schließlich auch der Charakter des tausendjährigen Christusreiches. Symbolisierende Deutungen der tausend Jahre (Sickenberger) sind ebensowenig im Sinne des Apokalyptikers wie die Behauptungen Wikenhausers, das Millennium sei ganz unpolitisch und von vornherein als symbolische Utopie gedacht. Vielmehr hat Johannes, in der Tradition jüdisch-apokalyptischer Zukunftshoffnungen seiner Zeit (gegen Hadorn), ganz konkret mit einer tausendjährigen Herrschaft Christi und der Märtyrer auf dieser Erde gerechnet (Bousset, Charles; vgl. Kraft).

12. Das himmlische Jerusalem (Apk 21)

a) Bousset (1906)

Unter Aufnahme der jüdischen Vorstellung vom präexistenten Jerusalem beschreibt der Seher die Himmelsstadt, die erst nach dem tausendjährigen Reich auf die Erde herabschwebt und „schlechthin zu der zukünftigen Welt" gehört (S. 443). Nach Apk 21, 2 ist die Stadt wie eine Braut geschmückt, nach Apk 21, 9 ist sie Braut und Weib des Lammes zugleich; Bousset will τὴν γυναῖκα tilgen, das er für eine Glosse hält, die Apk 21, 9 an Apk 19, 7 angleichen soll (S. 446). Apk 21, 10 konstruiert einen beabsichtigten Gegensatz zu Apk 17, 3: der Vision des unheiligen Babel in der Wüste korrespondiert die Vision des heiligen – da „vom Himmel her" stammenden – Jerusalem (S. 446). Die Stadtmauer mit zwölf Toren, zwölf Engeln und zwölf Stämmenamen erinnert an Ez 48, 30 ff. und Jes 62, 6; „jedes Tor scheint nach der Vorstellung des Apokalyptikers einem Stamme zur Benutzung überlassen zu sein" (S. 447).

Das neue Jerusalem mit je drei Toren nach jeder Himmelsrichtung (Apk 21, 13) war ursprünglich die Himmelsstadt auf dem Himmelsgewölbe bzw. dieses selbst; die Tore mit den Engeln sind auf den zwölfgeteilten Tierkreis und die zwölf Tierkreisgötter zu deuten, doch hat der Apokalyptiker „durch seine Beziehung auf die zwölf Stämme Israels den ursprünglichen Sinn verwischt" (S. 447). Wie das Himmelsgewölbe auf mächtigen Grundquadern ruht, so tragen nach Apk 21, 14 Grundsteine mit den Namen der zwölf Apostel (vgl. Eph 2, 20; Hebr 11, 10) die zwölf Mauerabschnitte (S. 447). Nach Apk 21, 16 ist die Stadt ein ungeheurer Kubus (vgl. Baba Bathra 75 b) – eine

Erinnerung an die „am Himmel sich ausdehnende Sternenstadt"
(S. 448). Der Juwelenschmuck der Mauern (Apk 21, 18 f.) bedeutet ursprünglich die Sterne, wobei die genannten Edelsteine
(Apk 21, 19 f.) dieselben sind wie auf dem Brustschild des Hohenpriesters (Ex 28, 17 ff. bzw. 36, 17 ff. LXX) und dem Gewand des Urmenschen (Ez 28, 13 LXX) (S. 449). Möglicherweise waren die zwölf Edelsteine Symbole der Tierkreiszeichen
(S. 450). Zur Vorstellung der zwölf Tore aus je einer riesigen
Perle (Apk 21, 21) ist außer Baba Bathra 75 b auch Jes 54, 12
zu vergleichen (S. 450). Die Weissagung, es werde im neuen
Jerusalem keinen Tempel geben (Apk 21, 22), hat zwar Analo-
gien in der spätjüdischen Literatur, doch stammt sie nach Bousset wohl doch von einem Christen (S. 450 f.). Apk 21, 23 geht
auf Jes 60, 19 f. zurück; vielleicht soll die Doxa Gottes der
Sonne und das Licht des Lammes dem Mond entsprechen (S. 451).
Nichts Unreines hat Platz in der Gottesstadt (Apk 21, 27): vgl.
Jes 35, 8; 52, 1; Ez 44, 9 (S. 451).

In einem eigenen Exkurs zu Apk 21, 9–22, 5 (S. 453–455)
untersucht Bousset traditions- und literargeschichtliche Fragen.
Die vom Himmel kommende Stadt (vgl. sl Hen 55, 2; 4 Esr
7, 26; 8, 52 u. ö.) muß nach Bousset von der nationalen Erwartung des älteren Judentums nachdrücklich unterschieden werden
(S. 453). Wo dennoch von irdischen Verhältnissen wie der Wall-
fahrt der Völker, dem Ausschluß des Unreinen und Gemeinen
oder der Heilung der Heiden durch Lebensbaumblätter gehan-
delt wird, sind dies nur Reste der traditionellen Anschauung;
der christliche Apokalyptiker hat eine schriftlich fixierte jüdische
Quelle leicht überarbeitet (S. 454). Eine ins einzelne gehende
Quellenscheidung hält Bousset jedoch, anders als noch in der
ersten Auflage, nicht mehr für durchführbar (S. 455).

b) Charles (1920)

Wie Apk 20, 4–6 (vgl. oben II 11), so hält Charles auch
Apk 21 f. für das Werk eines Bearbeiters von geringen literari-

schen Fähigkeiten. Er stellt daher, nach rigoroser Quellenscheidung, die von ihm reklamierten Einzelstücke völlig um und exegesiert dann auch in dieser Reihenfolge. Den größten Teil von Apk 21, nämlich die Verse 9–27, ordnet Charles mit Apk 22, 2. 14 f. 17 zu einer Vision des himmlischen Jerusalem als der Hauptstadt des tausendjährigen Reiches zusammen; von dieser Vision glaubt er, sie habe als Quellenstück von der Hand des (originalen) Sehers dem Bearbeiter und Herausgeber vorgelegen (II, S. 154). Dagegen kompiliert Charles die Stücke Apk 21, 5 a. 4 d.5 b.6 a.1–4 a.b.c; 22, 3–5 zu einem Kapitel „Der neue Himmel, die neue Erde und das neue Jerusalem mit seinen seligen Bewohnern" (S. 200–211) und weist einem „Epilog" die Verse Apk 21, 6 b–8; 22, 6 f.18 a.16.13.12.10.8 f.20 f. zu (S. 211–226).

Verblüffenderweise erhält Charles durch seine chirurgischen Eingriffe zwei völlig verschiedene Jerusalem-Visionen. Das Jerusalem von Apk 21, 9 ff. ist nach Charles die Wohnung Christi und der verklärten Märtyrer, die mit Christus hier für tausend Jahre regieren; diese Stadt ist der Mittelpunkt einer neuen Heidenmission (S. 154). Die Nennung der „Frau" in Apk 21, 9 beurteilt Charles mit Bousset als eingeschobene Glosse auf Grund von Apk 19, 7 (S. 156). Der große und hohe Berg (Apk 21, 10) geht wohl auf eine urtümliche Verknüpfung des Gottesbergs (Ez 28, 14; Ps 48, 2) mit dem verklärten Jerusalem (Jes 2, 2) zurück, wie denn auch Paradies und Berg verbunden werden können (äth Hen 24 f.; 87, 3; vgl. Jub 4, 26); die vom Himmel herabkommende heilige Stadt ist noch nicht die neue von Apk 21, 2, sondern die Hauptstadt des tausendjährigen Reiches (S. 157).

Den zwölf Stämmen Israels entsprechen die zwölf Tore der Stadtmauer (Apk 21, 12 f. nach Ez 48, 30 ff.); ähnlich ist die Aufteilung der Himmelstore, aus denen die Sterne hervortreten, in äth Hen 33–36 (S. 162). Zu den zwölf Engeln auf den Torhäusern ist Jes 62, 6, zu den zwölf Inschriften Ez 48, 31 zu vergleichen; indem der Seher die Namen der zwölf Apostel hinzufügt (Apk 21, 14), stellt er die Kontinuität zwischen dem Alten Testament und der christlichen Kirche sicher (S. 162). Durch die zwölf Tore wird die Mauer in zwölf Abschnitte unterteilt, deren jeder auf einem Grundstein ruht, der einen Apostelnamen trägt (vgl. außer Test Jud 25, 1 Mt 19, 28; Eph 2, 20; Hebr 11, 10) und nach Apk 21, 19 f. aus Edelstein besteht (S. 162 f.). Nach Apk 21, 16 ist die Stadt quadratisch, wie zufolge Herodot (1, 178) Babylon; den Griechen galt das Quadrat als Symbol der Vollkommenheit (S. 163). Die 12 000 Stadien könnten den Gesamtumfang der Stadt ausmachen, doch ist wohl an die Länge einer Seite gedacht; Charles will diese Angaben „natürlich" (of course) nicht wörtlich, sondern symbolisch verstanden wissen (S. 163 f.).

Die Baumaterialien der Stadt (Apk 21, 18–21) untersucht Charles auf den Seiten 164–170. Den Steinen des Brustschilds des Hohenpriesters (Ex 28, 17–20; 39, 10–13) entsprechen die zwölf Edelsteine der Grundsteine (Apk 21, 19 f.); auch die Kleidung des Königs von Tyrus (Ez 28, 13 LXX) ist zu vergleichen (S. 165). Jeder der zwölf Edelsteine vertritt eines der zwölf Tierkreiszeichen; sowohl Philo (Spec Leg 1, 87; vgl. Vit Mos 2, 133) als auch Josephus (Ant 3, 186) deuten die Steine des hohepriesterlichen Brustschilds auf die Sternbilder des Tierkreises (S. 159 und 167). Torhäuser Jerusalems aus je einer Perle (Apk 21, 21) finden sich auch Sanhedrin 100 a und Baba Bathra 75 b (S. 170). Die Stadt hat keinen Tempel (Apk 21, 22), da der Tempel des ersten Himmels (Apk 7, 15; 11, 19) verschwinden wird; Gott ist dann der Tempel und Christus die Bundeslade (S. 170 f.). Weder Sonne noch Mond sind erforderlich (Apk 21, 23; vgl. Jes 60, 19 ff.; Midr Ps 36 § 6 [126 a]) (S. 171 f.). Obgleich die Tore Tag und Nacht offenstehen, bleibt alles Unreine ausgeschlossen (Apk 21, 27; vgl. Jes 35, 8; 52, 1 LXX; Ez 44, 9) (S. 173 f.).

Zur zweiten Jerusalem-Vision gehört zufolge Charles der Vers Apk 21, 2 (S. 201). Dieses Jerusalem, gleichfalls vom Himmel herabschwebend, aber im Unterschied zu Apk 21, 10 als das neue bezeichnet (Apk 21, 2), ist mit der Hauptstadt des tausendjährigen Reiches (Apk 21, 9 ff.) keineswegs identisch (S. 204 f.). Während im Jerusalem des Millenniums der Lebensbaum denen, die von ihm essen, Unsterblichkeit verleiht (Apk 22, 2), wird im neuen, ewigen Jerusalem kein Lebensbaum mehr benötigt, denn alle seine Bewohner sind unsterblich (Apk 21, 4 b) und regieren mit Gott für immer (Apk 22, 5); mit diesem Jerusalem, das eine Umwandlung oder Neuschöpfung erlebt hat wie Himmel und Erde (Apk 21, 1), sind Stellen wie Gal 4, 26; Phil 3, 20; Hebr 12, 22 zu vergleichen (S. 205).

c) Lohmeyer (1926)

Die Vorstellung vom neuen Jerusalem hat eine breite Basis im Mythus einer „ewigen Stadt", wie er sich in den meisten antiken Religionen nachweisen läßt (S. 165). Wie im Falle der Hure Babylon (Apk 17) schwankt der Apokalyptiker zwischen der Personifikation – hier als Braut – und der Lokalisation als Stadt; zum Schmuck der Braut ist Ez 16, 11 f. zu vergleichen (S. 166). Die Einleitung der Vision Apk 21, 9 ist mit Apk 17, 1 fast wörtlich identisch: die Braut und Frau (γυναῖκα, das Apk 19, 7 aufnimmt, ist nach Lohmeyer „schon um der Sechszeiligkeit der Strophe willen nicht zu streichen") ist das Gegenbild der Hure von Apk 17 (S. 172). Auch der Berg (Apk 21, 10), in der Antike „die vornehmste Stätte göttlicher Offenbarungen", steht in beabsichtigtem Gegensatz zur Wüste von Apk 17, 3 (S. 172 f.). Aus Ez 48, 30 ff. stammt die Zwölftorigkeit und die Zuweisung der Tore an die zwölf Stämme (Apk 21, 12); die zwölf Engel sind die Wächter von Jes 62, 6 (S. 173). Jeder Mauerteil zwischen zwei Toren hat nach Apk 21, 14 einen anscheinend sichtbaren Grundstein mit je einem Namen eines Apostels; hier ist offenbar „ein religiöses Gleichnis" (vgl. Eph 2, 20; Hebr 11, 10) „in eschatologische Wirklichkeit übertragen" worden (S. 173). Wie Babylon (Herodot 1, 178) hat auch das neue Jerusalem quadratischen Grundriß (Apk 21, 16); das Quadrat ist zufolge Platon und Aristoteles ein Vollkommenheitssymbol. Die kubische Gestalt verweist auf die Tradition des babylonischen Tempelturms (S. 173).

Mauer, Stadt und Grundsteine bestehen aus kostbarem Baumaterial (Apk 21, 18–21); die zwölf Edelsteine erinnern an diejenigen des hohepriesterlichen Brustschildes (Ex 28, 17 ff.) und sind wohl wie diese mit Philo (Spec Leg 1, 87; Vit Mos 2, 133) und Josephus (Ant 3, 186) auf die zwölf Himmelstore (vgl. äth Hen 72, 2 ff.; 75, 6; 82, 4) und Tierkreiszeichen zu deuten (S. 174; vgl. S. 171). „Sind nun Edelsteine und Tore auf die zwölf Bilder des Sternkreises bezogen, die als Tore des Himmels angeschaut werden, so ist diese astrale Beziehung hier deutlich verwischt" (S. 174). Zu den Toren aus Perlen (Apk 21, 21) ist Baba Bathra 75 b zu vergleichen; daß das neue Jerusalem keinen Tempel haben werde (Apk 21, 22), widerspricht jüdischer Erwartung, doch bietet Od Sal 6, 8 ff. dazu eine Parallele (S. 174; vgl. S. 175 zu Apk 22, 1). Apk 21, 23 ist „ein freies und mannigfach verändertes Zitat aus Jes 60, 11–20", wobei das Lamm eingefügt wurde; die Stadt braucht kein Licht (vgl. Ps 132, 17; Tanchuma Teruma 6), ebensowenig wie nach Apk 22, 5 ihre Bewohner (S. 174). Die aus Jes 52, 1 stammende Tradition von der Reinheit der Stadt (Apk 21, 27; vgl. auch Jes 35, 8; Ez 44, 9) liegt vielleicht auch in Od Sal 11, 23 vor: „Es ist viel Platz in deinem Paradiese, aber es gibt nichts Gemeines darin" (S. 175).

d) Hadorn (1928)

Nach Apk 21, 2 kommt das neue Jerusalem (vgl. Gal 4, 26; Hebr 12, 22) vom Himmel herab; diese Erwartung entspricht derjenigen der jüngeren jüdischen Apokalyptik, während die ältere jüdische Theologie die Verherrlichung des irdischen Jerusalem erhofft hatte (S. 205). „Identisch ist dieses Jerusalem mit dem *Reiche Gottes,* das auch bei Jesus von oben herabkommen soll" (S. 205). Der Schalenengel, der in Apk 17, 1 ff. dem Seher die Dirne und Weltstadt zeigte und deutete, zeigt ihm nun auch die Braut und Gottesstadt (Apk 21, 9); die Begriffe Braut und (Ehe-)Frau schließen sich nur scheinbar aus, denn die Braut wird „durch die Vereinigung mit dem Bräutigam sein recht-

111

mäßiges Weib" (S. 208). Die Braut ist die Kirche, identisch mit der Sonnenfrau von Apk 12, die „jetzt in ihrer Vollendungsgestalt erscheint" (S. 209). Der Entrückung in die Wüste (Apk 17, 3) entspricht diejenige auf den Berg (Apk 21, 10), wobei sich Apk 21, 10 an Ez 40, 2 anschließt (S. 209).

Die Mauer, das Kennzeichen der antiken Stadt, hat beim neuen Jerusalem (Apk 21, 12) zwölf Tore und (nach Jes 62, 6) Engel als Torwächter; die Zahl der Tore und ihre inschriftliche Zuordnung an die zwölf israelitischen Stämme folgt der Tradition von Ez 48, 31–35, so daß „eine direkte Anleihe bei babylonischen Vorstellungen nicht angenommen werden muß" (S. 209). Wie in Apk 7, 4–8 erscheint die Gemeinde als das wahre Gottesvolk in der Gliederung des alttestamentlichen Volkes Israel; die Judenchristen bilden den Grundstock der Kirche, der die Heiden, auch für Paulus, einverleibt werden: „Ist die Brautgemeinde das wahre Jerusalem, dann ist sie auch die Gesamtheit der zwölf Stämme und ruht als solche auf der Heilsökonomie des Alten Bundes" (S. 209). Die Anordnung der Tore (Apk 21, 13) erfolgt nach Ez 48 (doch mit abweichender Reihenfolge) auf Grund der Lagerordnung von Num 2, 1–31; als christlich erweist sich die Stadt durch die zwölf Grundsteine mit den Apostelnamen (Apk 21, 14; vgl. Eph 2, 20), wie denn die christliche Gemeinde „erst durch das Zeugnis der Apostel vollendet" wird (S. 209). Wie das alte Babel und das neue Jerusalem Ez 48, 16 besitzt die Stadt einen quadratischen Grundriß (Apk 21, 16); die kubische Gestalt (vgl. Baba Bathra 75 b) geht auf die Vorstellung vom Himmelsgewölbe zurück und verkörpert symbolisch die „absolute, mathematisch genaue Gleichmäßigkeit" (S. 210).

Die Edelsteine von Apk 21, 18–20 sind „im großen und ganzen dieselben wie im Brustschild des alttestamentlichen Hohenpriesters, Ex 28, 17 ff.; 39, 8 ff.; Ez 28, 13", wobei möglicherweise eine Beziehung zwischen Apostel- und Priesteramt besteht (S. 210). Im Gegensatz zu Ezechiel und der jüdischen Apokalyptik fehlt im neuen Jerusalem von Apk 21, 22 der Tempel; die endzeitliche Gemeinde hat Gott selbst und das Lamm statt des Tempels, da dieser „durch die Offenbarung Gottes im gekreuzigten Christus ... überflüssig geworden ist" (S. 211). Anstelle von Sonne und Mond (vgl. Jes 60, 19 f.) leuchten der Gottesstadt Gott und das Lamm (Apk 21, 23); in dieser Vorstellung wird, ebenso wie in der Anlage nach den vier Himmelsrichtungen, in der Zwölftorigkeit und den zwölf Arten von Edelsteinen, der astralmythologische Hintergrund (nach Boll, III Nr. 51) der Vision deutlich (S. 211). Auf Grund der altjüdischen Verknüpfung des Jakobsegens (Gen 49, 1–28) mit den Tierkreiszeichen (nach Lepsius) erklären sich ungezwungen die Stämmenamen auf den zwölf Toren der Himmelsstadt; freilich besagen solche Hintergründe nur wenig für die Bedeutung dieser Bilder im theologischen Kontext der Apokalypse, dem es um die Kirche aus altem und neuem Bunde geht (S. 211 f.). Aus Apk 21, 27 ist nicht zu schließen, daß es – wie im Millennium – außerhalb der Stadt „noch böse und Greuel verübende Menschen gibt", sondern daß nunmehr das Gemeine „endgültig überwunden" ist (S. 213).

e) Sickenberger (1942)

Die Menschen der neuen Erde werden in einer neuen großen Stadt wohnen, die als „heilige Stadt" (Apk 21, 2; vgl. Apk 11, 2) „symbolisch mit dem Namen der alttestamentlichen Gottesstadt Jerusalem bezeichnet" wird; dabei entsprechen sich Babylon als prunkvoll gekleidete Hure (Apk 17, 1–6) und Jerusalem als „zur Hochzeit geschmückte Braut" (S. 188). In Apk 21, 9 heißt die Stadt „Frau", weil die Hochzeit schon geschehen ist, indem Christus in der Stadt Wohnung genommen hat; sie wird zugleich „Braut" genannt, weil sie in Apk 21, 2 als solche eingeführt wurde (S. 191). Zur „Entrückung im Geiste" (Apk 21, 10) ist Apk 17, 3 zu vergleichen (S. 191).

„Die Einzelschilderung der Stadt beginnt mit ihren Mauern, deren Dicke und Höhe das Wohlgeborgensein ihrer Bewohner andeuten" (Apk 21, 12 f.); von den zwölf Toren treffen je drei auf eine Himmelsrichtung, doch bildet nach Sickenberger „der

113

Tierkreis ... für diese Vorstellung keine Quelle". Engel fungieren, wie im Paradies (Gen 3, 24), als Torwächter (S. 191). Die zwölf Tore heißen nach den israelitischen Stämmen (vgl. Ez 48, 30–35), da ein neues Zwölfstämmevolk, ein neues Israel, in diesen Mauern wohnt; „Johannes sah also in seiner Vision eine Erfüllung der ezechielischen Weissagung" (S. 191 f.). Zwölf sichtbare Grundsteine der einzelnen Mauerabschnitte (Apk 21, 14) tragen „die Namen der zwölf neutestamentlichen Patriarchen, nämlich der zwölf Apostel", vgl. Eph 2, 20 (S. 192). Das Vorbild der quadratisch angelegten Stadt (Apk 21, 15–17) ist Ez 48, 30–35; die Maßangabe von 12 000 Stadien – etwa 2400 km – deutet Sickenberger auf den gesamten Umfang und kommt so zu einer Seitenlänge und Höhe von 600 km (S. 192). Von einer kubischen Gestalt ist nach Sickenberger jedoch nicht die Rede, sondern von einer auf hohem Berge (vgl. Mt 5, 14) weithin sichtbaren Stadt, deren enorme Größe andeuten soll, daß es nach Joh 14, 2 in Gottes Haus viele Wohnungen gibt (S. 192 f.).

Gold und Edelsteine sind die Materialien der Stadt (Apk 21, 18–20). Jeder der zwölf Fundamentsteine ist mit einer Gattung von Edelsteinen besetzt; diese zwölf Edelsteine gehen auf den Brustschild des jüdischen Hohenpriesters (Ex 28, 17–20) zurück und dürften auch den nach LXX zwölf Edelsteinen am Kleid des Königs von Tyrus (Ez 28, 13 f.) entsprechen (S. 193). Die einzelnen Steine oder Farben haben nach Sickenberger keinen besonderen Symbolwert, sondern sollen „den hohen Wert und die auch in der Ewigkeit andauernde Geltung der apostolischen Arbeit für das Reich Gottes veranschaulichen" (S. 194). Jedes Tor ist eine (für den Durchgang ausgehöhlte) Perle (Apk 21, 21; vgl. Sanhedrin 100 a und Baba Bathra 75 a); einen Tempel besitzt das himmlische Jerusalem nicht (Apk 21, 22), da „dieses die Gottesferne voraussetzende Gebäude" durch die Anwesenheit Gottes und Jesu Christi überflüssig geworden ist (S. 194 f.). Am neuen Himmel gibt es weder Sonne noch Mond (Apk 21, 23 nach Jes 60, 19 f.; vgl. Apk 22, 5), denn das Licht in der Stadt kommt von Gott und Christus her (S. 195). Alles moralisch Schlechte bleibt aus dieser Stadt ausgeschlossen (Apk 21, 27; vgl.

Jes 52, 1); der verwendete Terminus ist die jüdische Bezeichnung für das gesetzlich Unreine (S. 196).

f) Wikenhauser (1959)

Der Seher schaut eine neue heilige Stadt (vgl. Jes 52, 1), das himmlische Jerusalem (vgl. Gal 4, 26; Hebr 12, 22), analog jüdischen Erwartungen wie 4 Esr 7, 26; „das vom Himmel herabsteigende Jerusalem prangt in bräutlichem Schmuck" (Apk 21, 2; vgl. Apk 19, 7), der aus den Edelsteinen und Perlen von Apk 21, 10–21 besteht (S. 155). In Apk 17 hatte ein Schalenengel die Weltstadt Babylon als Dirne gezeigt, ein anderer Schalenengel zeigt nun (Apk 21, 9) als ihr Gegenstück die Gottesstadt Jerusalem als Braut und Gemahlin (S. 157 f.). Das neue Jerusalem wird nach dem Vorbild von Ez 40–48 geschildert; jedes der zwölf Tore trägt den Namen eines israelitischen Stammes (vgl. Ez 48, 30 ff.), zwölf Engel sind die Wächter der Stadt (vgl. Jes 62, 6), und die zwölf Grundsteine tragen die Namen der zwölf Apostel Christi (S. 158). Der Seher macht so den Zusammenhang des neuen Gottesvolks (Apostel) mit dem alten (Stämme Israels) deutlich; die Apostelnamen weist er dem Fundament zu (vgl. Eph 2, 20), da „dieses neue Gottesvolk durch die Predigt der Apostel geschaffen worden ist" (S. 158).

Wie Babylon (Herodot 1, 178) und Ninive (Diodorus Siculus 1, 3) besitzt das neue Jerusalem einen quadratischen Grundriß (Apk 21, 16); die Zahl der Stadien, 12 000 (= 2300 km), entsteht durch Multiplikation der Zahl der israelitischen Stämme mit 1000, dem „Sinnbild der Menge" (S. 158). Die Würfelform ist, „wie die ungeheuren Maße, symbolisch gemeint"; der Würfel ist ein Vollkommenheitssymbol. Da im salomonischen Tempel das Allerheiligste Würfelgestalt hatte (1 Kön 6, 19 f.), soll offenbar das neue Jerusalem „als Ganzes dem salomonischen Allerheiligsten" entsprechen (S. 159).

Das neue Jerusalem ist aus Edelsteinen errichtet (Apk 21, 18–20; vgl. Jes 54, 11; Tob 13, 16 f.); als Grundsteine der Mauer

(Apk 21, 19) werden die Fundamente der Mauerteile zwischen den Toren bezeichnet (S. 159). Diese Fundamente sind sichtbar und bestehen aus je einem Edelstein; die zwölf Edelsteine entsprechen „im großen und ganzen" denjenigen des hohepriesterlichen Brustschildes mit den Namen der zwölf Stämme Israels (Ex 28, 17 ff.; 39, 10 ff.; vgl. Ez 28, 13 LXX). Aus je „einer riesengroßen wunderbaren Perle" sind nach Apk 21, 21 die zwölf Tore der Stadt gebildet (S. 159). Anders als bei Ezechiel, besitzt das vom Himmel herabkommende neue Jerusalem keinen Tempel (Apk 21, 22), denn „Gott und das Lamm bilden sein Heiligtum"; durch die göttliche Gegenwart (vgl. Apk 22, 4) werden Sonne und Mond überflüssig (Apk 21, 23 nach Jes 60, 19), da Gott nach Ps 104 (103), 2 vom Licht umhüllt ist wie von einem Mantel (S. 159). Zur Ausschließung alles Unheiligen aus der Stadt (Apk 21, 27) erwägt Wikenhauser, es könnte der Seher unterschieden haben zwischen den Christen als den Bewohnern der Stadt und den umwohnenden „Heiden, welche zu den im Weltgericht Geretteten gehören, weil sie nicht der Feindschaft gegen Gott verfallen waren" (S. 160).

g) Kraft (1974)

Zufolge Kraft ist Apk 21, 1–8 ein alter Buchschluß, dem die Vision Apk 21, 9 ff. später angefügt wurde, gleichzeitig mit der Einfügung der parallelen Vision von der Hure auf dem Tier (Apk 17); Apk 21, 2 gehört dann zu einer früheren Schicht als Apk 21, 10 (S. 262). Das bei Gott bereite himmlische Jerusalem ist ein eschatologisches Heilsgut; seine Personifikation als Braut beruht auf den alttestamentlichen Bildern von der Gemeinde als der Braut Gottes (Hosea) und von Jerusalem als der Tochter Zion (Jes 52, 2 u. ö.), die Wendung „geschmückt wie eine Braut" auf der prophetischen Schilderung Ez 16, 10 ff. (S. 263). Apk 21, 9 leitet eine Vision ein, die derjenigen von Apk 17, 1 genau entspricht; das Nebeneinander von „Braut" und „Weib" verweist zurück auf Apk 19, 7 f. und Apk 21, 2: Symbol und Weissagung erfüllen sich beide in der Ehe des Lammes mit dem neuen Jerusalem (S. 267). In Apk 17, 3 ist die Wüste, in Apk 21, 10 der Berg der Ort des Offenbarungsempfangs; nach Ez 40, 2 LXX erblickt der Seher die Stadt von einem Berge aus auf einem zweiten Berg (S. 268).

Die Schilderung der Mauer (Apk 21, 12–14) geht auf Ez 40, 5; 48, 31–35 zurück; nicht als Grenze dient die Mauer, etwa zwischen Heilig und Unrein (vgl. Apk 22, 15), sondern (Apk 21, 14) als Fundament (S. 268 f.). Aus Ez 48, 31–34 stammt die Zuweisung der zwölf Tore an die israelitischen Stämme; die auf den Tortürmen stehenden Engel (vgl. 1 Esr 1, 15; 7, 9) sind die Wächter von Jes 62, 6, hier vielleicht mit den Schutzengeln der Stämme identifiziert (S. 269). Das Vorbild der Stadt, deren Fundament von den Mauergrundsteinen mit den Apostelnamen gebildet wird, ist die babylonische Tempelburg, womit auch die ungeheure Höhe übereinstimmt; dieses Bild der Kirche (vgl. Eph 2, 20; Röm 15, 20; 1 Kor 3, 10; Gal 2, 9; Hirt des Hermas) ist verstanden als Gegenbild zum babylonischen Turmbau von Gen 7 (S. 269). Sowohl der quadratische Grundriß der Stadt als auch die Gleichheit von Seitenlänge und Höhe (Apk 21, 16) symbolisieren Vollkommenheit; Babylon war nach Herodot 1, 178 als Quadrat errichtet, dessen Seiten 120 Stadien lang waren (S. 270). Die Gestalt des neuen Jerusalem ist nach Kraft, trotz gleicher Höhe und Basisseite, kein geometrischer Körper (Würfel, Pyramide); vielmehr diente „die antike Stadt Babylon ... mit ihrer Zikkurat (Tempelturm) als Modell für die Vorstellung" (S. 270 f.).

Aus reinem Gold, frei von Trübungen wie das Glas, ist die Stadt; aus Edelsteinen bestehen die Fundamente ihrer Mauer (Apk 21, 18–20). Zwölf Edelsteine werden genannt (vgl. Ex 28, 17–20; 39, 10–13 [36, 17–20 LXX]), deren Beziehungen zu den Sternkreiszeichen dem Verfasser wahrscheinlich bekannt waren, aber hier offenbar keine Rolle spielen (S. 271). „Nur das ist festzuhalten, daß die Tierkreissymbolik mit ihrem mythischen und magischen Apparat derselben Weltschau verwandt ist, wie der unseres Verfassers, wenn er die zwölf Grundsteine den zwölf Aposteln zuordnet" (S. 272). Die Edelsteine des künftigen Jerusalem (vgl. Tob 13, 16 f.) dürfen nicht im einzelnen ausgedeutet werden; „Kostbarkeit und Glanz der Himmelsstadt sind ausgesagt, und mehr ist nicht gemeint" (S. 272). Im Gegensatz zu den Erwartungen der allgemeinen jüdischen Apokalyptik gibt es nach Apk 21, 22 keinen Tempel im neuen Jerusalem; unsere Stelle hat die „Erwartung der Gegenwart Gottes in der Endzeit" mit der Deutung des „wiedererbauten Tempels auf Christi Auferstehungsleib" (Joh 2, 19–22) verknüpft (S. 273). Apk 21, 23 nimmt die Weissagung Jes 24, 23; 60, 19 auf; Apk 21, 27 geht auf die prophetische Hoffnung Jes 35, 8; 52, 1; Ez 44, 9 zurück (S. 273).

Stellungnahme

Die Erwartung eines endzeitlichen neuen Jerusalem himmlischer Herkunft stammt aus der jüdischen Apokalyptik (Bousset, Charles, Lohmeyer, Hadorn, Wikenhauser, Kraft; vgl. Sickenberger). Für die Beschreibung der Himmelsstadt lieferte Ez 40, 5; 48, 30–35 das Vorbild; Einzelheiten, wie die Perlentore, haben Parallelen in der jüdischen Literatur. Der Apokalyptiker hat die Vision der Braut und Gattin Jerusalem bewußt als Gegenstück zu derjenigen der Hure Babylon gestaltet (Bousset, Lohmeyer, Hadorn, Sickenberger, Wikenhauser, Kraft).

Unübersehbar sind die astralen Bezüge in der Schilderung der Stadt; Zwölftorigkeit, Himmelsrichtungen und Edelsteine verweisen auf den Tierkreis (Bousset, Charles, Lohmeyer, Hadorn, vgl. Kraft; ablehnend Sickenberger, ohne Hinweis Wikenhauser). Da Astrologie und Astralmythologie zur antiken Gelehrsamkeit gehörten, auch längst, offenbar ohne Schwierigkeiten, vom nachbiblischen Judentum rezipiert worden waren, besteht kein Grund, ihre Bedeutung für den Apokalyptiker herunterzuspielen, wie dies einige Kommentatoren (Lohmeyer, Hadorn, Sickenberger, Kraft; vgl. das Schweigen Wikenhausers) versuchen. Andererseits ist zu bedenken, daß offenbar schon in der jüdischen Tradition die Tierkreiszeichen mit den zwölf Stämmen Israels verbunden worden sind (Hadorn; gegen Bousset), so daß für Apk 21 die ekklesiologische Topik wichtiger ist als die astrologische: Das neue Jerusalem, Wohnstatt und zugleich Symbol des neuen Zwölfstämmevolks Israel, ruht auf dem Fundament der Apostel und verbindet die Traditionen des Alten und des Neuen Bundes (so besonders Hadorn).

Diese heilige Stadt ist die Hauptstadt des ewigen Gottesreichs und mit diesem geradezu identisch (Hadorn); wo die Ankunft des Gottesreichs erwartet (Mt 3, 2; Mt 4, 17 par. Mk 1, 15) bzw. erfleht wird (Mt 6, 10 par. Lk 11, 2), ist zugleich an das himmlische Jerusalem zu denken. Nur durch unbegründete Quellenscheidungen gelangt Charles zu der Möglichkeit, von der Hauptstadt des tausendjährigen Reichs diejenige der ewigen Herrlichkeit abzuheben; auch sachlich ist eine solche Unterscheidung nicht geboten. Wenn man in Apk 21 überhaupt mit verschiedenen Überlieferungsschichten rechnen will (vgl. Bousset), dann empfiehlt sich am ehesten der Vorschlag Krafts.

Die Edelsteine der Mauern sind nicht nur auf „hohen Wert" (Sickenberger) oder „Kostbarkeit und Glanz" (Kraft) zu deuten; auch in der Symbolbedeutung für den Tierkreis und damit für die zwölf Stämme Israels erschöpft sich nicht ihr Stellenwert. Vielmehr wirken nach antikem Volksglauben die Edelsteine apotropäisch; deshalb finden sie Verwendung bei Amuletten, etwa auf dem Brustschild des Hohenpriesters (Ex 28, 15–30; 39, 8–21). Als Baumaterial der Stadtmauer sollen sie ohne Zweifel dämonische Feinde abwehren, wie denn von der heiligen und reinen Gottesstadt das Dämonische und Unreine ausdrücklich ausgeschlossen bleibt (Apk 21, 27; 22, 15).

In der Schilderung des Äußeren der Stadt häufen sich die Symbole des antiken Weltbilds für Schönheit, Glanz und Harmonie: Licht, Edelsteine, Gold und Perlen. Der quadratische Grundriß der Stadt ist ein Ausdruck ihrer Vollkommenheit (Charles, Lohmeyer, Kraft), desgleichen die symmetrische Anordnung ihrer zwölf Tortürme. Erst recht gilt ihre kubische Gestalt (gegen Sickenberger und Kraft), Verkörperung der

„absoluten, mathematisch genauen Gleichmäßigkeit" (Hadorn), als Symbol der Vollkommenheit schlechthin (Hadorn, Wikenhauser; etwas anders Bousset, Lohmeyer).

Dennoch ist eine konsequent symbolische Deutung des neuen Jerusalem – etwa als der Kirche, die vom Seher nur „symbolisch" mit dem Namen der alttestamentlichen Gottesstadt bezeichnet werde (Sickenberger) – abzuweisen. Der Apokalyptiker hat ganz massiv damit gerechnet, die eschatologische Hoffnung seiner jüdischen Erziehung und Umwelt werde sich in der Ergänzung des Zwölfstämmevolks Israel durch christgewordene Heiden erfüllen; die Zusammenführung dieser Stämme und ihre Ansiedlung für ewige Zeit erhofft er in Jerusalem, der von Gott für den Messias Jesus Christus glanzvoll neugeschaffenen Hauptstadt Israels.

III. BIBLIOGRAPHIE ZUR JOHANNESAPOKALYPSE

Vorbemerkung

Zur Erstellung der vorliegenden Bibliographie hat der Verfasser, unterstützt durch Hinweise befreundeter Kollegen, zunächst alle erreichbaren Titel zur Johannesoffenbarung gesammelt; für die Zeit seit 1920 konnte der ›Elenchus Bibliographicus Biblicus‹ (III Nr. 137), für die Jahre 1957–1970 außerdem die sachlich geordnete Zeitschriften-Bibliographie der ZNW (III Nr. 499) ausgewertet werden. So kamen für den geplanten Zeitraum von 1700 bis 1974 mehr als 1500 Publikationen zusammen, von denen es die 500 wichtigsten auszuwählen galt. Die Ausscheidung von über zwei Dritteln des bibliographischen Materials war nicht nur betrübend, sondern auch schwierig, da sehr verschiedene Kategorien berücksichtigt werden mußten.

Eine rein formale Auswahl – Verzicht etwa auf alle ausländischen oder auch nur fremdsprachigen Autoren, auf alle Lexikonartikel oder bestimmte Zeitschriften, vielleicht nach Maßgabe konfessioneller Ausrichtung – konnte nicht in Frage kommen, nachdem die Exegese des Neuen Testaments längst international und ökumenisch betrieben wird.

Auch mit der Eliminierung der heutzutage als unseriös empfundenen (allegorischen, endgeschichtlichen, phantastischen) oder nur erbaulichen Auslegungen war es nicht getan, zumal hier die Grenzen fließend sind – im deutschen Sprachraum wenigstens vor 1900, im angelsächsischen bis fast in die Gegenwart hinein. Deshalb wurden endgeschichtliche Deutungen aufgenommen, wo sie für den Auslegungsstand ihrer Zeit typisch sind oder nennenswerte theologische Wirkung entfaltet haben: die spekulativen Versuche Johann Albrecht Bengels (III Nr. 29 f.) und Johann Heinrich Jung-Stillings (III Nr. 238 f.) oder das versponnene Bändchen des welfenfreundlichen Lutheraners Ludwig (Louis) Harms (III Nr. 200), aber nicht mehr die Fliegerbomben-Exegese der Margaret Gibson (ET 26, 1914/15, S. 376), die Weltkriegsvisionen des Katholiken Wilhelm Müller-Jurgens (1938,

Nachdruck 1961) oder die Nuklearphantasien des Naturwissenschaftlers Bernhard Philberth (seit 1964 in zahllosen Auflagen).

Alle ThWNT-Artikel mußten wegbleiben, darunter die für die Apokalypse so wichtigen von Gerhard Delling, Werner Foerster, Joachim Jeremias, Karl Heinrich Rengstorf, Heinrich Schlier und Gustav Stählin. Auch Veröffentlichungen, die zwar einzelnen Problemen der Johannesoffenbarung (Antichrist, Engel, Staat und Kirche u. a.) breiten Raum gewähren, aber nach Thema und Anlage über die Apokalypse weit hinausführen, blieben unberücksichtigt, darunter zahlreiche Abhandlungen von Oscar Cullmann, Erik Peterson und Heinrich Schlier.

Die besonders nach 1950 angeschwollene Flut mariologischer Deutungen von Apk 12 konnte eingedämmt werden, da hier nicht nur der 1959 erschienene Forschungsbericht von Pierre Prigent (III Nr. 367), sondern auch die Monographie von Hildegard Gollinger (III Nr. 182) vorliegt. Alle Titel zur Text- und Kanongeschichte sowie zur altkirchlichen, mittelalterlichen und reformatorischen Auslegungsgeschichte der Johannesapokalypse (dazu vgl. Wilfried Werbeck in RGG III, [3]1959, Sp. 835 f.) wurden getilgt, darunter die Publikationen von Johannes Haußleiter und Hermann C. Hoskier sowie diejenigen des Altmeisters der deutschen Arbeit am Apokalypsetext, Josef Schmid; für den letzteren sei verwiesen auf die gedruckte Bibliographie in den ›Neutestamentlichen Aufsätzen ... für Josef Schmid‹ (Regensburg 1963). Auch die Spiegelung älterer theologischer Apokalypsedeutung in den kulturgeschichtlich reizvollen Versuchen der Philosophen und Dichter Thomas Carlyle (1795–1881), Paul Claudel (1868–1955) und David Herbert Lawrence (1885–1930) würde den Rahmen dieser Abhandlung und ihrer Bibliographie sprengen.

Schließlich mußte auf allzu entlegene oder ephemere Publikationsorgane verzichtet werden, zumal durchweg vom selben Autor zur gleichen Thematik allgemein zugängliche wissenschaftliche Veröffentlichungen vorliegen. Daß dennoch der Benutzer unseres Verzeichnisses den einen oder anderen Titel vermissen wird, sieht der Verfasser voraus; er bittet um Nachsicht und begrüßt entsprechende Hinweise mit Dankbarkeit.

BIBLIOGRAPHIE

1. Abauzit, Firmin: Discours historique sur l'Apocalypse (wohl zuerst englisch 1730, dann) in: Œuvres diverses I. Genève 1770.

2. Allo, Ernest-Bernard: Saint Jean, L'Apocalypse (EB). Paris 1921 (²1932, ³1933).

3. –: A propos d'Apocalypse 11 et 12, in: RB 31 (1922), 572–583.

4. –: Art. Apocalypse, in: DBS I. Paris (1926) 1928, 306–325.

5. Auberlen, Carl August: Der Prophet Daniel und die Offenbarung Johannis in ihrem gegenseitigen Verhältniß betrachtet und in ihren Hauptstellen erklärt. Basel 1854 (²1857, ³1874).

6. Bacon, Benjamin Wisner: The Authoress of Revelation – a Conjecture, in: HThR 23 (1930), 235–250.

7. –: „Adhuc in corpore constituto" (Apoc 1, 9–11), ebd. 305–307.

8. Baldensperger, Wilhelm (Guillaume): Die neueren kritischen Forschungen über die Apokalypse Johannis, in: ZThK 4 (1894), 232–250.

9. –: Les cavaliers de l'Apocalypse (Apoc 6, 1–8), in: RHPhR 4 (1924), 1–31.

10. –: L'Apocalypse (La Bible du Centenaire). Paris 1928.

11. Bartina, Sebastiàn: En su mano derecha siete asteres (Apoc 1, 16), in: EE 26 (1952), 71–87.

12. –: Una espada salia de la boca de su vestido (Apoc 1, 16; 2, 16; 19, 15.21), in: EstB 20 (1961), 207–217.

13. –: La escatologia del Apocalipsis, in: EstB 21 (1962), 297–310.

14. –: Los siete ojos del Cordero (Apoc 5, 6), ebd. 325–328.

15. –: El toro apocalíptico lleno de „ojos" (Apoc 4, 6–8), ebd. 329–336.

16. –: Apocalipsis de San Juan, in: La Sagrada Escritura. Madrid 1962, 561 ff.

17. –: La celeste mujer enemiga del dragón (Apoc 12), in: EphMar 13 (1963), 149–155.

18. –: Un nuevo semitismo en Apoc 14: tierra o ciudad, in: EstB 27 (1968), 347–349.

19. Bauer, J. B.: Salvator nihil medium amat (Apoc 3, 15; Mt 25, 29 par), in: VD 34 (1956), 352–355.

20. Baumgarten-Crusius, Ludwig Friedrich Otto: Theologische Auslegung der johanneischen Schriften II. Jena 1845.

21. Baur, Ferdinand Christian: Kritik der neuesten Erklärung der Apokalypse, in: ThJ 11 (1852), 305 ff., 441 ff.

22. –: Die reichsgeschichtliche Auffassung der Apokalypse, in: ThJ 14 (1855), 283–314.

23. Beasley-Murray, George R.: Commentaries on the Book of Revelation, in: TLond 66 (1963), 52–56.

24. –: The Revelation, in: New Bible Commentary Revised. London ³1970, 1279–1310.

25. Beck, Johann Tobias: Erklärung der Offenbarung Johannis Cap. 1–12, hrsg. von Julius Lindenmeyer. Gütersloh 1884.

26. Beckwith, Isbon Thaddeus: The Apocalypse of John. Studies in Introduction with a Critical and Exegetical Commentary. New York 1919 (²1920). Nachdruck Grand Rapids, Mich. 1967.

27. Behm, Johannes: Johannesapokalypse und Geschichtsphilosophie, in: ZSTh 2 (1924) 323–344; auch als Sonderdruck: Gott und die Geschichte. Das Geschichtsbild der Offenbarung Johannis. Gütersloh 1925.

28. –: Die Offenbarung des Johannes (NTD XI). Göttingen 1935 (⁵1949, ⁶1953, ⁷1957).

29. Bengel, Johann Albrecht: Erklärte Offenbarung Johannis und (3. Aufl.: „oder") vielmehr Jesu Christi. Aus dem revidirten Grund-Text übersetzet, durch die prophetische Zahlen aufgeschlossen und allen, die auf das Werk und Wort des HErrn achten, und dem, was vor der Thür ist, würdiglich entgegen zu kommen begehren, vor Augen geleget. Stuttgart 1740 (²1746, ³1758); neu herausgegeben von Wilhelm Hoffmann 1834.

30. – (Bengelius, Johannes Albertus): Gnomon Novi Testamenti, in quo ex nativa verborum vi simplicitas, profunditas, concinnitas, salubritas sensuum coelestium indicatur. Tübingen 1742 (³1773); zahlreiche Nachdrucke (u. a. Berlin 1855, Stuttgart 1860), auch englisch (1755) und deutsch, etwa: Brief an die Ebräer / Die Offenbarung Johannis (J. A. Bengels Gnomon in deutscher Bearbeitung von evangelischen Geistlichen VII = Bibliothek theologischer Klassiker LIV). Gotha 1894.

31. Benoit, Pierre: Ce que l'Esprit dit aux églises. Commentaire sur l'Apocalypse. Vennes sur Lausanne 1941; auch deutsch: Was der Geist den Gemeinden sagt. Ein Kommentar zur Offenbarung

(Praktischer Wegweiser zum Studium der Bibel). Vennes über Lausanne 1941.

32. Bergh van Eysinga, Gustaaf Adolf van den: Die in der Apokalypse bekämpfte Gnosis, in: ZNW 13 (1912), 293–305.

33. –: Symbolisches in der Apokalypse Johannis, in: AcOr(L) 2 (1924), 32–38.

34. –: Nieuw licht over het laatste Bijbelboek, in: NThT 16 (1927), 21–46.

35. Bertholdt, Leonhard: Apokalypse, in: Historischkritische Einleitung in sämmtliche kanonische und apokryphische Schriften des Alten und Neuen Testaments IV. Erlangen 1814, 1777–1908.

36. Betz, Hans Dieter: Zum Problem des religionsgeschichtlichen Verständnisses der Apokalyptik, in: ZThK 63 (1966) 391–409; auch englisch: On the Problem of the Religio-historical Understanding of Apocalyptism, in: JThCh 6 (1969), 134–156.

37. –: Das Verständnis der Apokalypse in der Theologie der Pannenberg-Gruppe, in: ZThK 65 (1968), 257–270.

38. Bieder, Werner: Die sieben Seligpreisungen in der Offenbarung des Johannes, in: ThZ 10 (1954), 13–30.

39. Bietenhard, Hans: Das tausendjährige Reich. Eine biblisch-theologische Studie. Bern 1944 (Zürich [2]1955).

40. –: Schriften zur Offenbarung Johannis, in: ThZ 9 (1953), 139–143.

41. (Strack, Hermann Lebrecht, und) Billerbeck, Paul: Die Briefe des Neuen Testaments und die Offenbarung Johannis (Bill III). München 1926 (mehrere unveränderte Nachdrucke, zuletzt [5]1969).

42. Bleek, Friedrich: Beitrag zur Kritik und Deutung der Offenbarung Johannis, besonders mit Rücksicht auf Heinrichs Commentar und Vogels Programm über dieselbe, in: BThZ 2 (1820), 239–315.

43. –: Vorlesungen über die Apokalypse, hrsg. von Theodor Hoßbach. Berlin 1862.

44. Böcher, Otto: Die heilige Stadt im Völkerkrieg. Wandlungen eines apokalyptischen Schemas, in: Josephus-Studien. Untersuchungen zu Josephus, dem antiken Judentum und dem Neuen Testament, Otto Michel zum 70. Geburtstag gewidmet. Göttingen 1974, 55–76.

45. Boehmer, Eduard: De Apocalypsi Joannea ex rebus vatis aetate gestis explicanda. Diss. Halle 1854.

46. Boismard, Marie-Emile: „L'Apocalypse" ou „les Apocalypses" de S. Jean, in: RB 56 (1949), 507–541.

47. –: Notes sur l'Apocalypse, in: RB 59 (1952) 161–181.

48. –: „Tu enfanteras dans la souffrance". Introduction à la lecture de l'Apocalypse, in: Comment lire la Bible. St. Alban, Savoie 1952/53, 111–128.

49. –: Rapprochements littéraires entre l'évangile de Luc et l'Apocalypse, in: Synoptische Studien Alfred Wikenhauser zum 70. Geburtstag ... dargebracht von Freunden, Kollegen und Schülern. München 1953, 53–63.

50. –: L'Apocalypse, in: Introduction à la Bible, sous la direction de A. Robert et A. Feuillet II. Tournai 1959, 709–742; auch deutsch: Die Apokalypse, in: A. Robert und A. Feuillet (Hrsg.), Einleitung in die Heilige Schrift II. Wien, Freiburg und Basel 1964, 635–663.

51. Boll, Franz: Aus der Offenbarung Johannis. Hellenistische Studien zum Weltbild der Apokalypse (ΣΤΟΙΧΕΙΑ 1). Leipzig und Berlin 1914 (unveränderter Nachdruck Amsterdam 1967).

52. Bollier, J. A.: Judgment in the Apocalypse, in: Interpr 7 (1953), 14–25.

53. Bonsirven, Joseph: L'Apocalypse de S. Jean. Traduction et Commentaire (VS XVI). Paris 1951; auch italienisch: L'Apocalisse di S. Giovanni. Roma 1958.

54. Bornkamm, Günther: Die Komposition der apokalyptischen Visionen in der Offenbarung Johannis, in: ZNW 36 (1937), 132–149; auch in: Studien zu Antike und Urchristentum. Gesammelte Aufsätze II (BEvTh 28). München 1959 (²1963), 204–222.

55. –: Die Gerichte Gottes und der Weg der Gemeinde in der Offenbarung Johannes, in: Die Gerichte Gottes und der Weg des Glaubens. Göttingen 1947, 22–33.

56. –: Das Vorspiel im Himmel, Offenbarung Johannis 4, 1–8, in: Göttinger Predigtmeditationen 18 (1963/64), 395–402; auch in: Geschichte und Glaube II. Gesammelte Aufsätze IV (BEvTh 53). München 1971, 225–233.

–: siehe auch Lohmeyer, Ernst.

57. Bousset, Wilhelm: Der Antichrist in der Überlieferung des Judentums, des Neuen Testaments und der alten Kirche. Ein Beitrag zur Auslegung des Apocalypse. Göttingen 1895.

58. –: Die Offenbarung Johannis (MeyerK XVI). Göttingen 1896 (²1906 = Nachdruck Göttingen 1966).

59. –: Die jüdische Apokalyptik. Ihre religionsgeschichtliche Herkunft und ihre Bedeutung für das Neue Testament. Berlin 1903.

60. Bowman, J. W.: The Revelation to John. Its Dramatic Structure and Message, in: Interpr 9 (1955), 436–453.

61. –: The Drama of the Book of Revelation. Philadelphia 1955 (²1968 unter dem Titel: The First Christian Drama: The Book of Revelation).

62. Boyd, R.: The Book of Revelation (Studia Biblica 4), in: Interpr 2 (1948), 467–482.

63. Boyd, W. J. P.: „I am Alpha and Omega" (Rev 1, 8; 21, 6; 22, 13), in: Studia Evangelica II (TU 87). Berlin 1964, 526–531.

64. Braun, François-Marie: La mère des fidèles. Essai de théologie johannique. Tournai et Paris 1953 (²1954).

65. –: La femme et le dragon, in: BiViChr 7 (1954) 63–72.

66. –: La femme vêtue de soleil (Apoc 12). Etat du problème, in: RThom 55 (1955), 639–669.

67. Brewer, R. R.: The Influence of Greek Drama on the Apocalypse of St. John, in: AThR 18 (1936), 74–92.

68. –: Revelation 4, 6 and Translation thereof, in: JBL 71 (1952), 227–231.

69. Brown, Schuyler: The Hour of Trial (Rev 3, 10), in: JBL 85 (1966), 308–314.

70. –: The Priestly Character of the Church in the Apocalypse, in: NTS 5 (1958/59), 224 f.

71. Brückner, Wilhelm: Die große und die kleine Buchrolle in der Offenbarung Johannis Kap. 5 und Kap. 10. Gießen 1923.

72. Brütsch, Charles: L'Apocalypse de Jésus-Christ. Commentaire et notes (Les livres de la Bible IV). Genève 1940 (²1940, ³1941 = Paris 1942; Genève ⁴1955 und ⁵1966 unter dem Titel: La Clarté de l'Apocalypse).

73. –: Die Offenbarung Jesu Christi. Johannes-Apokalypse (Prophezei, Schweizerisches Bibelwerk für die Gemeinde). Zürich 1955 (²1970 3 Bde. Zürcher Bibelkommentare).

74. Bruins, E. M.: The Number of the Beast, in: NedThT 23 (1968/69), 401–407.

75. Brun, Lyder: Die römischen Kaiser in der Apokalypse, in: ZNW 26 (1927), 128–151.

76. –: Übriggebliebene und Märtyrer in der Apokalypse, in: ThStKr 102 (1930), 215–231.

77. –: Dansk fortolkning av Johannes åpenbaringen, in: NTT 46 (1945), 45–59.

78. Bruns, J. Edgar: The Contrasted Women of Apocalypse 12 and 17, in: CBQ 26 (1964), 459–463.

79. Büchsel, Friedrich: Die Christologie der Offenbarung Johannis (Theol. Diss. Halle). Halle 1907.

80. Burch, Vacher: Reasons why Nero Should not be Found in Revelation 13, in: Exp 46 (VIII 19) (1920), 18–28.

81. –: Anthropology and the Apocalypse. An Interpretation of the Book of the Revelation in Relation to the Archaeology, Folklore and Religious Literature and Ritual of the Near East. London 1939.

82. Burger, Carl Heinrich August von: Die Offenbarung St. Johannis nach dem Grundtexte deutsch erklärt. München 1877.

83. Burney, Charles Fox: A Hebraic Construction in the Apocalypse (Apoc 1, 5 s), in: JThS 22 (1920/21), 371–376.

84. Burrows, Eric: The Pearl in the Apocalypse, in: JThS 43 (1942), 177–179.

85. Caird, George B.: On Deciphering the Book of Revelation, in: ET 74 (1962/63), 13–15, 51–53, 82–84, 103–105.

86. –: A Commentary on the Revelation of St. John the Divine (Black's New Testament Commentaries). London and New York 1966 ([2]1969).

87. Cambier, Jules: Les images de l'Ancien Testament dans l'Apocalypse de Saint Jean, in: NRTh 77 (1955), 113–122.
    –: siehe auch Cerfaux, Lucien.

88. Campos, P. M.: Roma como corporificação do mal na literatura sibilina e apocaliptica, in: RH III 7 (1951), 15–47.

89. Camps, Guiu M.: Apocalipsi, in: BMonts XXII. Montserrat 1958, 221–352.

90. Carpenter, J. Estlin: Astrology in the Book of Revelation, in: HibJ 23 (1924/25), 733–746.

91. –: The Johannine Writings. A Study of the Apocalypse and the Fourth Gospel. London 1927.

92. Carrington, Philip: Astral Mythology in the Revelation, in: AThR 13 (1931), 289–305.

93. –: The Meaning of the Revelation. London, New York and Toronto 1931.

94. Cecchelli, Carlo: 666 (Apoc 13, 18), in: Studi in onore di Gino Funaioli. Roma 1955, 23–31.

95. Cerfaux, Lucien: La vision de la femme et du dragon de l'Apocalypse en relation avec le Protévangile, in: EThL 31 (1955), 21–33; auch in: Recueil Lucien Cerfaux. Etudes d'Exégèse et d'Histoire Religieuse III (Bibliotheca EThL 8). Gembloux 1962, 237–251.

96. – und Cambier, Jules: L'Apocalypse de Saint Jean lue aux chrétiens (LD 17). Paris 1955; auch spanisch: El Apocalipsis de S. Juan leído a los cristianos (ActB 9). Madrid 1968.

97. – und Tondriau, Jules: Le culte des souverains dans la civilisation gréco-romaine (Bibliothèque de théologie III 5). Paris, Tournai, Rome et New York 1957.

98. –: Le conflit entre Dieu et le souverain divinisé dans l'Apocalypse de Jean, in: The Sacral Kingship – La regalità sacra (Numen Suppl. 4). Leiden 1959, 459–470; auch in: Recueil Lucien Cerfaux (wie oben 95), 225–236.

99. –: „L'évangile éternel" (Apoc 14, 6), in: EThL 39 (1963), 672–681.

100. –: L'église dans l'Apocalypse, in: RechBib 7 (1965), 111–124; auch deutsch: Die Kirche in der Apokalypse, in: Vom Christus zur Kirche, hrsg. von Jean Giblet. Freiburg i. Br. und Wien 1966, 139–157; auch englisch: The Church in the Book of Revelation, in: Birth of the Church. Staten Island 1968, 141–159.

101. Charles, Robert Henry: Studies in the Apocalypse. Edinburgh 1913 ([2]1915).

102. –: A Solution of the Chief Difficulties in Revelation 20–22, in: ET 26 (1914/15), 54–57, 119–123.

103. –: A Critical and Exegetical Commentary on the Revelation of St. John with Introduction, Notes and Indices, also the Greek Text and English Translation (ICC). 2 Bde. Edinburgh 1920 (Nachdruck 1950, 1956 u. ö., zuletzt 1970/1971).

104. –: Lectures on the Apocalypse (The Schweich Lectures 1919). Oxford 1922 (Nachdruck 1923).

105. –: The Restoration of the Original Order of Ch. 20 to 22 of Revelation, in: BMRT 1 (1927), 16–22.

106. Chauffard, A.: L'Apocalypse et son interprétation historique. 2 Bde. 1888/1890.

107. –: La Révélation de Saint Jean. Son plan organique, impliquant ... le prochain grand règne de l'Eglise ... Paris 1894.

108. Ciuffa, Giuseppe: L'Apocalisse interpretata con l'ausilio dei libri di Enoch, Giobbe, Cantico dei Cantici, IV Esdra. 2 Bde. Roma 1927.

109. Clemen, Carl: Die Bildlichkeit der Offenbarung Johannis, in: Festgabe für Julius Kaftan zu seinem 70. Geburtstage. Tübingen 1920, 25–43.

110. –: Die Stellung der Offenbarung Johannis im ältesten Christentum, in: ZNW 26 (1927), 173–186.

111. –: Visionen und Bilder in der Offenbarung Johannis, in: ThStKr 107 (1936), 236–265.

112. –: Dunkle Stellen in der Offenbarung Johannis religionsgeschichtlich erklärt (UARG 10). Bonn 1937.

113. Comblin, Joseph: La liturgie de la nouvelle Jérusalem (Apoc 21, 1–22, 5), in: EThL 29 (1953), 5–40; auch selbständig: (AnLov II 37). Louvain 1953.

114. –: Le Christ dans l'Apocalypse (BTh III 6). Paris, Tournai, Rome et New York 1965; auch spanisch: Cristo en el Apocalipsis. Barcelona 1969.

115. Corrodi, Heinrich: Kritische Geschichte des Chiliasmus. 2 Bde. Frankfurt und Leipzig 1781/1783 ([2]1794 4 Bde., [3]1800 4 Bde.).

116. Couchoud, Paul Louis: L'Apocalypse. Traduction du poème avec une introduction. Paris 1922; Neubearbeitung: L'Apocalypse. Traduction nouvelle du poème avec introduction et notes (Coll. Christianisme). Paris 1930; auch englisch: The Book of Revelation. A Key to Christian Origins. London 1932.

117. Dannemann, Conrad: Wer ist der Verfasser der Offenbarung Johannis? Eine historisch-kritische Abhandlung, mit einem Vorworte von Friedrich Lücke. Hannover 1841.

118. Deißmann, Adolf: Die weißen Kleider und die Palmen der Vollendeten, in: Bibelstudien. Marburg 1895, 285–287.

119. –: Weihrauch und Myrrhen (Apoc 18, 13), in: ThBl 1 (1922), 13.

120. Delling, Gerhard: Zum gottesdienstlichen Stil der Johannes-Apokalypse, in: NovTest 3 (1959), 107–137; auch in: Studien zum Neuen Testament und zum hellenistischen Judentum. Göttingen 1970, 425–450.

121. Dibelius, Martin: Rom und die Christen im ersten Jahrhundert (SAH 2, 1941/42). Heidelberg 1942; auch in: Botschaft und Geschichte. Gesammelte Aufsätze II. Tübingen 1956, 177–228.

122. Dix, George Henry: The Heavenly Wisdom and the Divine Logos in Jewish Apocalyptic. A Study of the Vision of the Woman and the Man-Child in Revelation 12, 1–5. 13–17, in: JThS 26 (1924/25), 1–12.

130

123. –: The Seven Archangels and the Seven Spirits, in: JThS 28 (1927), 233–250.

124. Dornseiff, Franz: Die Rätsel-Zahl 666 in der Offenbarung des Johannes, in: FF 12 (1936), 369; auch in: Kleine Schriften II. Leipzig 1964, 244–247.

125. –: Die apokalyptischen Reiter, in: ZNW 38 (1939), 196 f.

126. Douglas, Charles Edward: The Mystery of the Kingdom. An Attempt to Interpret the Revelation of St. John by the Method of Literary Criticism. London 1915 (²1921).

127. –: New Light on the Revelation of John the Divine. London 1923.

128. –: The Twelve Houses of Israel, in: JThS 37 (1936), 49–56.

129. –: The Last Word in Prophecy. A Study of the Revelation of St. John the Divine. London 1938.

130. Driver, Godfrey Rolles: The Number of the Beast, in: Bibel und Qumran. Beiträge zur Erforschung der Beziehungen zwischen Bibel- und Qumranwissenschaft, Hans Bardtke zum 22. 9. 1966. Berlin 1968, 75–81.

131. Dubarle, André-Marie: La femme couronnée d'étoiles, Apoc 12, in: Mélanges bibliques en l'honneur de André Robert (Travaux de l'Institut Catholique de Paris 4). Paris 1957, 512–518.

132. Düsterdieck, Friedrich: Kritisch exegetisches Handbuch über die Offenbarung Johannis (MeyerK XVI). Göttingen 1859 (²1865, ³1877, ⁴1887).

133. Ebrard, Johann Heinrich August: Offenbarung Johannis, in: Hermann Olshausen (Hrsg.), Biblischer Commentar über sämtliche Schriften des Neuen Testaments IV. Königsberg ²1853.

134. Ehrhardt, Arnold: Das Sendschreiben nach Laodizea, in: EvTh 17 (1957), 431–445.

135. Eichhorn, Johann Gottfried: Commentarius in Apocalypsin Johannis. 2 Bde. Göttingen 1791.

136. –: Ueber die innern Gründe gegen die Aechtheit und Kanonicität der Apokalypse, in: ABBL 3 (1791), 571–645.

137. Elenchus Bibliographicus Biblicus, bearbeitet von Leopold Fonck, E. Power, E. Bürgi und Petrus Nober, in: Bibl 1–54 (1920–1973).

138. Ernst, Josef: Die „himmlische Frau" im 12. Kapitel der Apokalypse, in: ThGl 58 (1968), 39–59.

139. Ewald, Heinrich Georg August: Commentarius in Apocalypsin Johannis exegeticus et criticus. Göttingen 1828.

140. –: Die johanneischen Schriften übersetzt und erklärt II. Göttingen 1862.

141. Eynde, P. van den: Le Dieu du désordre. Commentaire synthétique d'Apocalypse 6, 9–11, in: BiViChr 74 (1967), 39–51.

Eysinga, Gustaaf Adolf van den Bergh van: siehe Bergh van Eysinga, Gustaaf Adolf van den.

142. Farrer, Austin: A Rebirth of Images. The Making of St. John's Apocalypse. Westminster 1949 (Nachdrucke: Beacon Paperback 152, Boston 1963; Magnolia, Mass. 1970).

143. –: The Revelation of St. John the Divine. Commentary on the English Text. Oxford (auch: London and New York) 1964.

144. Féret, Henri-Marie: L'Apocalypse de Saint Jean. Vision chrétienne de l'histoire. Paris 1943 (²1946); auch deutsch: Die Geheime Offenbarung des heiligen Johannes. Eine christliche Schau der Geschichte. Düsseldorf 1955; auch italienisch: L'Apocalisse di S. Giovanni. Roma 1957; auch englisch: The Apocalypse of St. John. Westminster 1958; auch portugiesisch: O Apocalipse de S. João. Visão Cristão da História (Col. Biblica 6). São Paulo 1968.

145. –: Apocalypse, histoire et eschatologie chrétienne, in: DV 2 (1945), 117–144.

146. Feuillet, André: Essai d'interprétation du chapitre 11 de l'Apocalypse, in: NTS 4 (1957/58), 183–200; auch in: Etudes Johanniques. Paris 1962, 246–271.

147. –: Les vingt-quatre vieillards de l'Apocalypse, in: RB 65 (1958), 5–32; auch in: Etudes Johanniques. Paris 1962, 193–227.

148. –: Le Messie et sa mère d'après le chapitre 12 de l'Apocalypse, in: RB 66 (1959), 55–86; auch in: Etudes Johanniques. Paris 1962, 272–310.

149. –: Le chapitre 10 de l'Apocalypse. Son apport dans la solution du problème eschatologique, in: SacPag II. Paris et Gembloux 1959, 414–429; auch in: Etudes Johanniques. Paris 1962, 228–245.

150. –: Les diverses méthodes d'interprétation de l'Apocalypse et les commentaires récents, in: AmiCl 71 (1961), 257–270.

151. –: Le Cantique des cantiques et l'Apocalypse. Etude de deux réminiscences du Cantique dans l'Apocalypse Johannique, in: RechSR 49 (1961), 321–353.

152. –: Le temps de l'église d'après le quatrième évangile et l'Apocalypse, in: MaisD 65 (1961), 60–79; unter dem Titel Le temps de l'église selon Saint Jean auch in: Etudes Johanniques. Paris 1962, 152–174.

153. –: L'Apocalypse. Etat de la question (StNS 3). Paris et Bruges 1963; auch englisch: The Apocalypse. Staten Island, N. Y. 1965.
154. –: Le premier cavalier de l'Apocalypse, in: ZNW 57 (1966), 229–259.
155. –: Les 144 000 Israélites marqués d'un sceau, in: NovTest 9 (1967), 191–224.
156. Fiebig, Paul: Die Offenbarung des Johannes und die jüdische Apokalyptik der römischen Kaiserzeit (Beiträge zur Lehrerbildung und Lehrerfortbildung 36). Gotha 1907.
157. Fiorenza, Elisabeth (Schüßler): The Eschatology and Composition of the Apocalypse, in: CBQ 30 (1968), 537–569.
158. –: Gericht und Heil. Zum theologischen Verständnis der Apokalypse, in: Gestalt und Anspruch des Neuen Testaments, hrsg. von Josef Schreiner und Gerhard Dautzenberg. Würzburg 1969, 330–348.
159. –: Priester für Gott. Studien zum Herrschafts- und Priestermotiv in der Apokalypse (NTA N. F. 7) (Theol. Diss. Münster i. W. 1970). Münster i. W. 1972.
160. Foerster, Werner: Die Bilder in Offenbarung 12 f. und 17 f., in: ThStKr 104 (1932), 279–310.
161. –: Bemerkungen zur Bildsprache der Offenbarung Johannis, in: Verborum Veritas. Festschrift für Gustav Stählin zum 70. Geburtstag. Wuppertal 1970, 225–236.
162. Fonck, Leopold: Das sonnenumglänzte und sternenbekränzte Weib in der Apokalypse, in: ZKTh 28 (1904), 672–681.
163. –: Signum magnum apparuit in caelo (Apoc 12, 1), in: VD 2 (1922), 353–357.
164. Ford, J. M.: „He That Cometh" and the Divine Name (Apoc 1, 4.8; 4, 8), in: JStJud 1 (1970), 144–147.
165. –: The Divorce Bill of the Lamb and the Scroll of the Suspected Adulteress. A Note on Apoc 5, 1 and 10, 8–10, in: JStJud 2 (1971), 136–143.
166. Freundorfer, Joseph: Die Apokalypse des Apostels Johannes und die hellenistische Kosmologie und Astrologie. Eine Auseinandersetzung mit den Hauptergebnissen der Untersuchung Franz Bolls „Aus der Offenbarung Johannis" (BSt 23, 1). Freiburg i. Br. 1929.
167. Frings, Joseph: Das Patmosexil des Johannes nach Apoc 1, 9, in: ThQ 104 (1923), 20–31.

133

168. Gächter, Paul: Semitic Literary Forms in the Apocalypse and their Import, in: ThSt 8 (1947), 547–573.

169. –: The Role of Memory in the Making of the Apocalypse, in: ThSt 9 (1948), 419–452.

170. –: The Original Sequence of Apoc 20–22, in: ThSt 10 (1949), 485–521.

171. Gelin, Albert: Apocalypse, in: BPC. Paris 1938, 581–667 ([3]1951, 581–667).

172. Gennep, Arnold van: Le symbolisme ritualiste de l'Apocalypse, in: RHR 89 (1924), 163–182.

173. Gerhardsson, Birger: De kristologiska utsagorna i sändebreven i Uppenbarelseboken (Kap. 2–3), in: SEÅ 30 (1965), 70–90.

174. Giet, Stanislas: La „Guerre des Juifs" de Flavius Josèphe et quelques énigmes de l'Apocalypse, in: RevSR 26 (1952), 1–29.

175. –: Les épisodes de la Guerre Juive et l'Apocalypse, ebd. 325–362.

176. –: L'Apocalypse johannique. Une conjoncture historique, in: ArSocRel 4 (1957), 149–157.

177. –: L'Apocalypse et l'histoire. Etude historique sur l'Apocalypse johannique. Paris 1957.

178. –: Retour sur L'Apocalypse, in: RevSR 38 (1964), 235–264.

179. –: A propos de l'„Apocalypse", in: REL 44 (1966), 35 f.

180. Glasson, T. F.: The Revelation of John. Commentary (The Cambridge Bible Commentary). Cambridge and New York 1965.

181. Godet, Frédéric: Essai sur l'Apocalypse, in: Etudes Bibliques II. Paris 1874 ([4]1889, [5]1899), 285–386.

182. Gollinger, Hildegard: Das „große Zeichen" von Apokalypse 12 (SBM 11) (Diss. Freiburg i. Br. 1968). Würzburg und Stuttgart 1971.

182 a. –: Kirche in der Bewährung. Eine Einführung in die Offenbarung des Johannes (Der Christ in der Welt VI 13). Aschaffenburg 1973.

183. Goppelt, Leonhard: Heilsoffenbarung und Geschichte nach der Offenbarung des Johannes, in: ThLZ 77 (1952), 513–522.

184. –: Art. Johannes III. Apokalypse (Offb), in: EKL II. Göttingen 1958, 365–369.

185. Grossouw, Willem, und Limbeck, Meinrad: Art. Offenbarung (des Johannes), in: BL. Einsiedeln, Zürich und Köln [2]1968, 1251–1255.

134

186. Gry, Léon: Le Millénarisme, ses origines et son développement (Theol. Diss.). Paris 1904.

187. –: Les chapitres 11 et 12 de l'Apocalypse, in: RB 31 (1922), 203–214.

188. Gunkel, Hermann: Schöpfung und Chaos in Urzeit und Endzeit. Eine religionsgeschichtliche Untersuchung über Gen. 1 und Ap. Joh. 12. Göttingen 1895 ([2]1921).

189. Haapa, E.: Farben und Funktionen bei den apokalyptischen Reitern, in: TAik 73 (1968), 216–225.

190. Hadorn, Wilhelm: Das letzte Buch der Bibel. Zürich 1918 ([2]1919).

191. –: Die Zahl 666, ein Hinweis auf Trajan, in: ZNW 19 (1919/20), 11–29.

192. –: Die Offenbarung des Johannes (ThHK XVIII). Leipzig 1928.

193. Hadot, J.: L'Apocalypse de Jean et les christianismes primitifs, in: RevUB 18 (1966), 190–217; gekürzt in: RHR 169 (1966), 119–122.

194. Hagen, Friedrich Wilhelm: Sieg des Christenthums über Juden- und Heidenthum, oder Die Offenbarung Johannis, neu übersetzt und in Anmerkungen und Excursen erläutert. Erlangen 1796.

195. Hahn, Ferdinand: Die Sendschreiben der Johannesapokalypse. Ein Beitrag zur Bestimmung prophetischer Redeformen, in: Tradition und Glaube. Das frühe Christentum in seiner Umwelt. Festgabe für Karl Georg Kuhn zum 65. Geburtstag. Göttingen 1971, 357–394.

196. Halson, B. R.: The Relevance of the Apocalypse, in: Studia Evangelica II (TU 87). Berlin 1964, 388–392.

197. Halver, Rudolf: Der Mythos im letzten Buch der Bibel. Eine Untersuchung der Bildersprache der Johannes-Apokalypse (Theologische Forschung 32) (Theol. Diss. Erlangen 1962). Hamburg-Bergstedt 1964.

198. Hanson, Anthony Tyrrell: The Wrath of the Lamb. London 1957.

–: siehe auch Preston, Ronald H.

199. Harder, Günther: Eschatologische Schemata in der Johannes-Apokalypse, in: ThViat 9 (1963). Berlin 1964, 70–87.

200. Harms, Ludwig (Louis): Die Offenbarung St. Johannis, hrsg. von Theodor Harms. Hermannsburg 1873 ([2]1874, [12]1920).

201. Harnack, Adolf (von): Die apokalyptischen Reiter, in: Erforschtes und Erlebtes. Gießen 1923, 53–64.

 –: siehe auch Vischer, Eberhard.

202. Haugg, Donatus: Die zwei Zeugen. Eine exegetische Studie über Apok. 11, 1–13 (NTA XVII 1). Münster i. W. 1936.

203. Heinrich, J. H.: Apocalypsis perpetua annotatione illustrata (Koppes NT X). 2 Bde. 1818/1821.

Heitmüller, Wilhelm: siehe Weiß, Johannes.

204. Helmbold, Andrew: A Note on the Authorship of the Apocalypse, in: NTS 8 (1961/62), 77–79.

205. Hendriksen, William: More than Conquerors. An Interpretation of the Book of Revelation. Grand Rapids 1939 (Nachdruck London 1962; ³1944, ⁴1947 = London ⁴1948, ⁶1952).

206. Hengstenberg, Ernst Wilhelm: Die Offenbarung des heiligen Johannes für solche, die in der Schrift forschen, erläutert. 2 Bde. Berlin 1849/1850 (²1861/1862).

207. Herder, Johann Gottfried (von): Johannes Offenbarung. 1778 (auch in: Sämmtliche Werke zur Religion und Theologie, hrsg. von Johann Georg Müller, XII. Stuttgart und Tübingen 1829; Sämtliche Werke, hrsg. von Bernhard Suphan, IX. Berlin, Nachdruck Hildesheim 1967, 1–100).

208. –: Maran atha, oder Das Buch von der Zukunft des Herrn, des Neuen Testaments Siegel. Riga 1779 (auch in: Sämmtliche Werke zur Religion und Theologie, hrsg. von Johann Georg Müller, XII. Stuttgart und Tübingen 1829; Sämtliche Werke, hrsg. von Bernhard Suphan, IX. Berlin, Nachdruck Hildesheim 1967, 101–288).

209. Herrenschneider, Johann S.: Apocalypseos a capite IV. usque ad finem illustrandae tentamen. Straßburg 1786.

210. Herrmann, Léon: L'Apocalypse johannique et l'histoire romaine, in: Latomus 7 (1948), 23–46.

211. –: La vision de Patmos (Latomus 78). Bruxelles 1965.

212. –: Observations sur le texte de l'Apocalypse, in: RBelgPhH 46 (1968), 59–66.

213. Hildebrandt, A.: Das römische Antichristentum zur Zeit der Offenbarung Johannis und des 5. sibyllinischen Buches, in: ZWTh 17 (1874), 57–95.

214. Hilgenfeld, Adolf: Jüdische Apokalyptik und Christenthum, in: ZWTh 31 (1888), 488–498.

215. –: Die Johannesapokalypse, in: ZWTh 33 (1890), 446 ff.

216. Hill, David: Prophecy and Prophets in the Revelation of St. John, in: NTS 18 (1971/72), 401–418.

217. Hirsch, Emanuel: Studien zum vierten Evangelium (BHTh 11). Tübingen 1936.

218. Hoare, F. R.: A New Proposal for Rearranging the Apocalypse, in: IER 40 (1932), 372–381.

219. Hofmann, Johann Christian Konrad (von): Weissagung und Erfüllung im Alten und im Neuen Testament. Ein theologischer Versuch II. Nördlingen 1844, 300–378.

220. Holtz, Traugott: Die Christologie der Apokalypse des Johannes (TU 85) (Theol. Diss. Halle 1959). Berlin 1962 (²1971). Vgl. auch Autorreferat in ThLZ 85 (1960), 476–478.

221. Holtzmann, Heinrich Julius: Evangelium, Briefe und Offenbarung des Johannes (HC IV). Freiburg i. Br. 1891 (Freiburg und Leipzig ²1893; Tübingen ³1908, besorgt von Walter Bauer).

222. Holzinger, Karl: Erklärungen zu einigen der umstrittensten Stellen der Offenbarung Johannis und der Sibyllinischen Orakeln mit einem Anhange über Martial XI 33 (SAW 216, 3). Wien 1936.

223. Hommel, Fritz: Die „zwei verschwundenen Götter" der Adapa-Legende und Apokalypse 11, 3–13, in: Altorientalische Studien. Festgabe Bruno Meißner I. Leipzig 1928, 87–95.

224. Hooke, Samuel Henry: Gog and Magog, in: ET 26 (1914/15), 317–319.

225. –: Alpha and Omega. A Study in the Pattern of Revelation. Digswell Place 1961.

Hough, Lynn Harold: siehe Rist, Martin.

226. Hubert, M.: L'architecture des lettres aux sept églises (Apoc 2–3), in: RB 67 (1960), 349–353.

227. Jart, U.: The Precious Stones in the Revelation of St. John 21, 18–21, in: ST 24 (1970), 150–181.

228. Jeremias, Joachim: Ἁρ Μαγεδών (Apk 16, 16) und Megiddo, in: JPOS 12 (1932), 49 f.

229. –: Har Magedon (Apc 16, 16), in: ZNW 31 (1932), 73–77.

230. Jörns, Klaus-Peter: Das hymnische Evangelium. Untersuchungen zu Aufbau, Funktion und Herkunft der hymnischen Stücke in der Johannesoffenbarung (StNT 5) (Theol. Diss. Göttingen 1967). Gütersloh 1971.

231. Johannsen, Nicolaus: Die Offenbarung Johannis oder der Sieg des Christenthums über das Juden- und das Heidenthum. Schleswig 1788.

232. Jones, Bruce W.: More about the Apocalypse as Apocalyptic, in: JBL 87 (1968), 325–327.

233. Joüon, P.: Le grand dragon et l'ancien serpent (Apoc 12, 9 et Gen 3, 14), in: RechSR 17 (1927), 444–446.

234. –: Apocalypse 1, 4, in: RechSR 21 (1931), 486 f.

235. –: Apocalypse 1, 13, in: RechSR 24 (1934), 365 f.

236. Jourdain, E. F.: The Twelve Stones in the Apocalypse, in: ET 22 (1910/11), 448–450.

237. Jülicher, Adolf: Art. Apokalypsen, in: PW I. Stuttgart 1894, 2835 f.

238. Jung gen. Stilling, Johann Heinrich: Die Siegsgeschichte der christlichen Religion in einer gemeinnützigen Erklärung der Offenbarung Johannis. 1799 (auch in: Sämmtliche Schriften III. Stuttgart 1835, 4–412).

239. –: Erster Nachtrag zur Siegsgeschichte der christlichen Religion. 1805 (auch in: Sämmtliche Schriften III. Stuttgart 1835, 413–580).

240. Kallas, James: The Apocalypse – an Apocalyptic Book?, in: JBL 86 (1967), 69–80.

241. Karner, Károly: Gegenwart und Endgeschichte in der Offenbarung des Johannes, in: ThLZ 93 (1968), 641–652.

242. Karrer, Otto: Die Geheime Offenbarung übersetzt und erklärt. Einsiedeln und Köln 1938 (²1940).

243. Kassing, Altfrid Th.: Die Kirche und Maria. Ihr Verhältnis im 12. Kapitel der Apokalypse. Düsseldorf 1958.

244. Kehnscherper, Günther: Santorin. Traditionsgeschichtliche Untersuchungen über Erinnerungen an die Santorinkatastrophe in Apok. 6, 12–15; 8, 5–12 und 9, 2–10 (Theol. Habil.-Schrift Leipzig 1964). Autorreferat in: ThLZ 93 (1968), 632–635.

245. Ketter, Peter: Die apokalyptische Tempelmessung, in: PB 52 (1941), 93–99.

246. –: Der römische Staat in der Apokalypse, in: TThS 1 (1941), 70–93.

247. –: Die Apokalypse übersetzt und erklärt (HBK XVI 2). Freiburg i. Br. 1942 (²1946, ³1953, ⁴1954).

248. Kiddle, Martin (and Ross, M. K.): The Revelation of St. John (Moffatt NTC XVII). London 1940 (Nachdruck New York 1941; ⁴1946, Nachdruck 1948; ⁵1952; Nachdruck London and New York 1967).

249. Kliefoth, Theodor: Die Offenbarung des Johannes. 3 Bde. Leipzig 1874.

250. Knopf, Rudolf: Die Himmelsstadt, in: Neutestamentliche Studien, Georg Heinrici zu seinem 70. Geburtstag dargebracht. Leipzig 1914, 213–219.

251. Koch, Klaus: Ratlos vor der Apokalyptik. Eine Streitschrift über ein vernachlässigtes Gebiet der Bibelwissenschaft und die schädlichen Auswirkungen auf Theologie und Philosophie. Gütersloh 1970.

252. Köhler, Ludwig: Die Offenbarung des Johannes und ihre heutige Deutung. Zürich 1924.

253. Koester, Wilhelm: Lamm und Kirche in der Apokalypse, in: Vom Wort des Lebens. Festschrift für Max Meinertz zur Vollendung des 70. Lebensjahres. Münster i. W. 1951, 152–164.

254. Kosnetter, Johann: Die Sonnenfrau (Apk 12, 1–17) in der neueren Exegese, in: Theologische Fragen der Gegenwart. Festgabe für Theodor Kardinal Innitzer. Wien 1952, 93–108.

255. Kraemer, Richard: Die Offenbarung des Johannes in überzeitlicher Deutung. Wernigerode 1929.

256. Kraft, Heinrich: Zur Offenbarung des Johannes, in: ThR N. F. 38 (1973), 81–98.

257. –: Die Offenbarung des Johannes (HNT XVI a). Tübingen 1974.

257 a. Kümmel, Werner Georg: Der Text der Offenbarung Johannes, in: ThLZ 82 (1957), 249–254.

258. –: Einleitung in das Neue Testament. Heidelberg 1973, 398–419.

259. Läuchli, Samuel: Eine Gottesdienststruktur in der Johannesoffenbarung, in: ThZ 16 (1960), 359–378.

260. Lancellotti, Angelo: Sintassi ebraica nel greco dell'Apocalisse, I. Uso delle forme verbali (Collectio Assiniensis 1). Assisi 1964.

261. –: L'Antico Testamento nell'Apocalisse, in: RivBiblIt 14 (1966), 369–384.

262. –: La tradizione profetico-apocalittica dell'Antico Testamento nell'Apocalisse di S. Giovanni, in: L'Apocalisse. Studi biblici pastorali dell'Associazione Biblica Italiana II. Brescia 1967, 37–46.

263. Lange, Joachim: De oeconomia salutis. Halle 1728 (²1730).

264. –: Hermeneutische Einleitung in die Offenbahrung Johannis und dadurch in die Propheten, in: Prophetisches Licht und Recht Oder Richtige und erbauliche Erklärung der Propheten I. Halle und Leipzig 1738, 17–68.

265. Lange, Samuel Gottlieb: Die Schriften Johannis, des vertrauten Schülers Jesu, übersetzt und erklärt I. Neustrelitz 1795.

266. Lehmann-Nitsche, R.: Der apokalyptische Drache. Eine astralmythologische Untersuchung über Apc Joh 12, in: ZE 65 (1933), 193–230.

267. –: Zur Analyse des 12. Kapitels der Offenbarung des Johannes, in: FF 11 (1935), 303 f.

268. –: Die magische Verfolgung in der Offenbarung des Johannes, in: ZE 67 (1935), 75–78.

269. Lévitan, Jacques: Une conception juive de l'Apocalypse à travers les concordances bibliques. Paris 1966.

270. Lilje, Hanns: Das letzte Buch der Bibel. Eine Einführung in die Offenbarung Johannes (Die urchristliche Botschaft 23). Berlin 1940 (Hamburg 41955, 51958, 71961); auch englisch: The Last Book of the Bible. The Meaning of the Revelation of St. John. Philadelphia 1957 (Nachdruck 1967); auch französisch: L'Apocalypse. Le dernier livre de la Bible. Paris 1959.

271. Lilliebjörn, Hadar: Über religiöse Signierung in der Antike mit besonderer Berücksichtigung der Kreuzsignierung, nebst einem Exkurs über die Apokalypse und die Mithras-Monumente (Diss. Uppsala 1933). Leipzig 1933.

Limbeck, Meinrad: siehe Grossouw, Willem.

272. Lindijer, C. H.: Die Jungfrauen in der Offenbarung des Johannes 14, 4, in: Studies in John Presented to J. N. Sevenster on the Occasion of his Seventieth Birthday (Suppl. to NovTest 24). Leiden 1970, 124–142.

273. Lipiński, E.: L'Apocalypse et le martyre de Jean à Jérusalem, in: NovTest 11 (1969), 225–232.

274. Lohmeyer, Ernst: Das zwölfte Kapitel der Offenbarung Johannis, in: ThBl 4 (1925), 285–291.

275. –: Die Offenbarung des Johannes (HNT XVI). Tübingen 1926. Neu herausgegeben von Günther Bornkamm: Tübingen 21953 (31970).

276. –: Art. Apokalyptik II. III, in: RGG I. Tübingen 21927, 402–406.

277. –: Die Offenbarung des Johannes 1920–1934, in: ThR N. F. 6 (1934), 269–314 und 7 (1935), 28–62.

278. Lohse, Eduard: Die Offenbarung des Johannes übersetzt und erklärt (NTD XI). Göttingen 1960 (21966, 31971).

279. –: Die alttestamentliche Sprache des Sehers Johannes. Textkritische Bemerkungen zur Apokalypse, in: ZNW 52 (1961), 122–126.

280. –: Apokalyptik und Christologie, in: ZNW 62 (1971), 48–67.

281. Loisy, Alfred: L'Apocalypse de Jean. Paris 1923.

282. Lortzing, Johannes: Die inneren Beziehungen zwischen Jo 2, 1–11 und Offb 12. Eine Auseinandersetzung mit der religionsgeschichtlichen Schule, in: ThGl 29 (1937), 498–529.

283. Lücke, Friedrich: Commentar über die Schriften des Evangelisten Johannes IV 1. Versuch einer vollständigen Einleitung in die Offenbarung Johannis und in die gesammte apokalyptische Litteratur. Bonn 1832 (²1852: Versuch einer vollständigen Einleitung in die Offenbarung des Johannes oder Allgemeine Untersuchungen über die apokalyptische Litteratur überhaupt und die Apokalypse des Johannes insbesondere).

–: siehe auch Dannemann, Conrad.

284. Luthardt, Christoph Ernst: Die Offenbarung Johannis übersetzt und kurz erklärt für die Gemeinde. Leipzig 1861.

285. Manchot, Carl Hermann: Die Offenbarung Johannis. 1869.

286. –: Die Heiligen. Ein Beitrag zum geschichtlichen Verständnis der Offenbarung Johannis und der altchristlichen Verfassung. Leipzig 1887.

287. Mangenot, Joseph-Eugène: Art. Apocalypse, Livre de l', in: DThC I 2. Paris 1931, 1463–1479.

288. Marranzini, A.: Teologia dell'Apocalisse, in: L'Apocalisse. Studi biblici pastorali dell'Associazione Biblica Italiana II. Brescia 1967, 111–133.

289. Marshall, I. H.: Martyrdom and the Parousia in the Revelation of John, in: Studia Evangelica IV 1 (TU 102). Berlin 1968, 333–339.

290. Masson, Charles: L'Evangile éternel de Apocalypse 14, 6 et 7, in: Hommage et Reconnaissance. Recueil de travaux publiés à l'occasion du soixantième anniversaire de Karl Barth (Cahiers théologiques de l'actualité protestante, Hors Série 2). Neuchâtel et Paris 1946, 63–67.

291. Meinertz, Max: Wesen und Bedeutung der Johannesapokalypse, in: BiKi 10 (1955), 3–13.

292. Michael, J. H.: The Unrecorded Thunder-Voices (Apoc 10, 3), in: ET 36 (1924/25), 424–427.

293. –: A Slight Misplacement in Revelation 1, 13–14, in: ET 42 (1930/31), 380 f.

294. –: „Ten Thousand Times Ten Thousand", in: ET 46 (1934/35), 567.

295. –: Har-Magedon, in: JThS 38 (1937), 168–172.

296. –: East, North, South, West (Apoc 21, 13), in: ET 49 (1937/38), 141 f.

297. –: The Position of the Wild Beasts in Revelation 6, 8 b, in: ET 58 (1946/47), 166.

298. –: The Apocalypse. A Review and Revision of Vischer's Theory, in: ET 59 (1947/48), 200–203.

299. –: A Vision of the Final Judgment (Apoc 20, 11–15), in: ET 63 (1951/52), 199 f.

300. Michel, Otto: Art. Offenbarung des Johannes, in: CBL. Stuttgart ⁵1959, 957–962.

301. Michl, Johann: „Sie hatten Haare wie Weiberhaare" (Apk 9, 8), in: BZ 23 (1935), 266–288.

302. –: Die Engelvorstellungen in der Apokalypse des heiligen Johannes I. Die Engel um Gott. München 1937.

303. –: Die 24 Ältesten in der Apokalypse des heiligen Johannes. München 1938.

304. –: Zu Apk 9, 8, in: Bibl 23 (1942), 192 f.

305. –: Art. Apokalypse, in: LThK I. Freiburg ²1957, 690–696.

306. –: Art. Apokalyptische Reiter, ebd. 706.

307. –: Art. Apokalyptisches Weib, ebd. 706 f.

308. –: Art. Apokalyptische Tiere, ebd. 707.

309. –: Art. Apokalyptische Zahl, ebd. 707 f.

310. –: Die Deutung der apokalyptischen Frau in der Gegenwart, in: BZ N. F. 3 (1959), 301–310.

311. Mieses, Matthias: Hebräische Fragmente aus dem jüdischen Urtext der Apokalypse des heiligen Johannes, in: MGWJ 74 (1930), 345–362.

312. Mills, Lawrence Heyworth: Avesta Eschatology Compared with the Books of Daniel and Revelation. Being Supplementary to Zarathustra, Philo, the Achaemenids and Israel. Chicago 1908.

313. Minear, Paul S.: The Wounded Beast (Apoc 13, 3), in: JBL 72 (1953), 93–101.

314. –: The Cosmology of the Apocalypse, in: Current Issues in New Testament Interpretation. Essays in Honour of Otto A. Piper. London and New York 1962, 23–37, 261 f.

315. –: Ontology and Ecclesiology in the Apocalypse, in: NTS 12 (1965/66), 89–105.

316. –: I Saw a New Earth. An Introduction to the Visions of the Apocalypse. Washington 1969.

317. Moering, Ernst: Ἐγενόμην ἐν πνεύματι, in: ThStKr 92 (1919), 148–154.

318. Moffatt, James: Revelation of St. John (EGT). London 1910.

319. Mollat, D.: Principi d'interpretazione dell'Apocalisse, in: L'Apocalisse. Studi biblici pastorali dell'Associazione Biblica Italiana II. Brescia 1967, 9–36.

320. –: Cristologia del Nuovo Testamento, ebd. 47–68.

321. –: La liturgia dell'Apocalisse, ebd. 135–146.

322. Montagnini, Felice: Apoc 4, 1–22, 5: L'ordine nel caos, in: RivBiblIt 10 (1957), 180–196.

323. –: Problemi dell'Apocalisse in alcuni studi degli ultimi anni, in: RivBiblIt 11 (1963), 400–424.

324. –: Conoscere meglio la S. Scrittura: Lettura dell'Apocalisse, in: RClIt 44 (1963), 455–461.

325. –: Il segno di Apoc 12 sullo sfondo della cristologia nell'Apocalisse, in: L'Apocalisse. Studi biblici pastorali dell'Associazione Biblica Italiana II. Brescia 1967, 69–92; auch französisch: Le „signe" d'Apoc 12 à la lumière de la christologie du Nouveau Testament, in: NRTh 89 (1967), 401–416.

326. Morris, Leon: The Revelation of John. An Introduction and Commentary (Tyndale NT Commentaries XX). London and Grand Rapids 1969 (²1971).

327. Müller, Hans-Peter: Die Plagen der Apokalypse. Eine formgeschichtliche Untersuchung, in: ZNW 51 (1960), 268–278.

328. –: Die himmlische Ratsversammlung. Motivgeschichtliches zu Apc 5, 1–5, in: ZNW 54 (1963), 254–267.

329. –: Formgeschichtliche Untersuchungen zu Apc 4 f. (Theol. Diss. Heidelberg 1963). Autorreferat in: ThLZ 88 (1963), 951 f.

330. Müller, Ulrich B.: Messias und Menschensohn in jüdischen Apokalypsen und in der Offenbarung des Johannes (StNT 6) (Theol. Diss. Heidelberg 1967). Gütersloh 1972.

331. Munck, Johannes: Petrus und Paulus in der Offenbarung Johannis. Ein Beitrag zur Auslegung der Apokalypse (Det Laerde Selskabs Skrifter, Teologiske Skrifter 1). København 1950; vgl.

Autorreferat: Peter and Paul in the Apocalypse of St. John, in: Nuntius Sodalicii Neotestamentici 4 (Uppsala 1950), 25 f.

332. Murmelstein, B.: Das zweite Tier in der Offenbarung Johannis (Kap. 13 B), in: ThStKr 101 (1929), 447–457.

333. Mussies, Gerard: Δύο in Apocalypse 9, 12 and 16, in: NovTest 9 (1967), 151–154.

334. –: The Morphology of Koine Greek as Used in the Apocalypse of St. John. A Study in Bilingualism (Suppl. to NovTest 27). Leiden 1971.

335. Neuenzeit, P.: „Ich will dir zeigen, was geschehen muß" (Apok 4, 1). Zum Problem der Tragik im neutestamentlichen Existenzverständnis, in: BiLe 1 (1960), 223–236.

336. Newman, Barclay: The Fallacy of the Domitian Hypothesis. Critique of the Irenaeus Source as a Witness for the Contemporary-historical Approach to the Interpretation of the Apocalypse, in: NTS 10 (1963/64), 133–139.

337. Nikolainen, Aimo T.: Der Kirchenbegriff in der Offenbarung des Johannes, in: NTS 9 (1962/63), 351–361.

338. –: Über die theologische Eigenart der Offenbarung des Johannes, in: ThLZ 93 (1968), 161–170.

339. Nitzsch, Karl Immanuel: Bericht an die Mitglieder des Rehkopf-schen Prediger-Vereins über die Verhandlungen v. J. 1820. Wittenberg 1822.

340. North, R.: Thronus Satanae Pergamenus, in: VD 28 (1950), 65–76.

341. Northcote, H.: A Solution of the Chief Difficulties in Revelation 20–22, in: ET 26 (1914/15), 426–428.

342. Oeder, Georg Ludwig: Christlich freye Untersuchung über die sogenannte Offenbarung Johannis, aus den nachgelassenen Schriften eines fränkischen Gelehrten hrsg. von Johann Salomo Semler. Halle 1769.

343. Olivier, André: La clé de l'Apocalypse. Etude sur la composition et l'interprétation de la grande prophétie de Saint Jean. Paris 1938.

344. –: La strophe sacrée en Saint Jean. Contribution à la critique textuelle de l'Apocalypse, du quatrième évangile et de la première épître (de S. Jean). Paris 1939.

345. –: Les premières strophes de l'Apocalypse. Introduction, texte, traduction et commentaire. Paris 1947.

346. –: L'Apocalypse et ses enseignements. 2 Teile. Paris 1953/1954.
347. –: Apocalypse et évangiles. Saint-Maurice (Seine) 1960.
348. Olsson, Bror: Der Epilog der Offenbarung Johannis, in: ZNW 31 (1932), 84–86.
349. –: Die verschlungene Buchrolle, in: ZNW 32 (1933), 90 f.
350. Oman, John: The Book of Revelation. Theory of the Text, Rearranged Text and Translation, Commentary. Cambridge 1923.
351. –: The Apocalypse, in: Exp 51 (IX 9) (1925), 437–452.
352. –: The Text of Revelation. A Revised Theory. Cambridge 1928.
353. O'Rourke, J. J.: The Hymns of the Apocalypse, in: CBQ 30 (1968), 399–409.
354. Osten-Sacken, Peter von der: „Christologie, Taufe, Homologie". Ein Beitrag zu Apc Joh 1, 5 f., in: ZNW 58 (1967), 255–266.
355. Pastorini: Allgemeine Geschichte der Christlichen Kirche von ihrem Ursprunge bis auf ihren letzten triumphirenden Zustand im Himmel, vornämlich aus der Offenbarung des h. Apostels Johannes gezogen. 3 Bde. Mainz 1785–1786.
356. Pesch, Rudolf: Offenbarung Jesu Christi. Eine Auslegung von Apk 1, 1–3, in: BiLe 11 (1970), 15–29.
357. Pesch, Wilhelm: Prophet und Kirche. Über die Freiheit der Theologie nach dem Beispiel des Verfassers der Johannesapokalypse (Mainzer Antrittsvorlesung vom 26. 10. 1967; maschinenschriftlich).
358. Peschek, Joseph: Geheime Offenbarung und Tempeldienst. Eine Darstellung des Aufbaues der Apokalypse … samt Text und Erklärung. Paderborn 1929.
359. Peterson, Erik: Der himmlische Lobgesang in Kap. 4 und 5 der Geheimen Offenbarung, in: LL 1 (1934), 297–306.
360. –: Der Geist der apostolischen Kirche nach der Geheimen Offenbarung, in: Hochland 33 (1935/36), 1–10; auch französisch: L'esprit de l'église apostolique d'après l'Apocalypse, in: Le mystère des juifs et des gentils dans l'église. Paris o. J., 73–102.
361. –: Christus als Imperator. Leipzig 1937; auch in: Theologische Traktate, Hochland-Bücherei. München 1951, 149–164.
362. Piepenbring, C.: Influences mythologiques sur l'Apocalypse de Jean, in: RHR 85 (1922), 1–15.
363. Piper, Otto A.: The Apocalypse of John and the Liturgy of the Ancient Church, in: ChH 20 (1951), 10–22.
364. –: Art. Johannesapokalypse 1–8, in: RGG III. Tübingen [3]1959, 822–834.

145

365. Plessis, J. du: Le sens de l'histoire. Les derniers temps d'après l'histoire et la prophétie II. L'Apocalypse de S. Jean. Paris 1939.
366. Preston, Ronald H., and Hanson, Anthony Tyrrell: The Revelation of St. John the Divine, The Book of Glory. Introduction and Commentary (The Torch Bible Commentaries). London 1949 (Nachdruck, Torch Paperb. Com., London 1968).
367. Prigent, Pierre: Apocalypse 12. Histoire de l'exégèse (BGE 2). Tübingen 1959.
368. –: Apocalypse et liturgie (Cahiers Théologiques 52). Neuchâtel 1964.
369. Ramsay, William Mitchell: The Letters to the Seven Churches of Asia and their Place in the Plan of the Apocalypse. London 1904 (²1909; Nachdruck Grand Rapids 1963).
370. Ratton, James Joseph Louis: Essays on the Apocalypse. London 1908.
371. –: The Apocalypse of St. John. A Commentary on the Greek Version. London 1912.
372. –: The Revelation of St. John. A New Commentary. London 1918; auch französisch: L'Apocalypse. Introduction et commentaire. Lyon 1923.
373. Rauch, Chr.: Die Offenbarung des Johannes, untersucht nach ihrer Zusammensetzung und der Zeit ihrer Entstehung (Preisschrift). Haarlem (und Leipzig) 1894.
374. Reicke, Bo: Art. Apokalyptik, in: LAW. Zürich und Stuttgart 1965, 205–207.
375. Reinach, Salomon: La mévente des vins sous le haut-empire romain, in: RA III 39 (1901), 350–374; auch in: Cultes, mythes et religions II.
376. Rife, J. Merle: The Literary Background of Rev 2–3, in: JBL 60 (1941), 179–182.
377. Rinaldi, Giovanni: Il raduno nel cielo (Apoc 19, 1–4), in: BibOr 4 (1962), 161–163.
378. –: La porta aperta nel cielo (Apoc 4, 1), in: CBQ 25 (1963), 336–347.
379. Ringgren, Helmer: Art. Apokalyptik I. II, in: RGG I. Tübingen ³1957, 463–466.
380. Rissi, Matthias (Mathias): Die Zeit- und Geschichts-Auffassung in der Johannesapokalypse (Theol. Diss. Basel 1950/51); gedruckt: Die Zeit- und Geschichtsauffassung der Johannesapokalypse. Zürich 1952.

381. –: Zeit und Geschichte in der Offenbarung des Johannes (AThANT 22). Zürich 1952.

382. –: Das Judenproblem im Lichte der Johannesapokalypse, in: ThZ 13 (1957), 241–259.

383. –: Art. Offenbarung des Johannes, in: BHH II. Göttingen 1964, 1331–1335.

384. –: The Rider on the White Horse. A Study of Rev 6, 1–8, in: Interpr 18 (1964), 407–418.

385. –: Die Erscheinung Christi nach Off. 19, 11–16, in: ThZ 21 (1965), 81–95.

386. –: Was ist und was geschehen soll danach. Die Zeit- und Geschichtsauffassung der Offenbarung des Johannes (AThANT 46). Zürich und Stuttgart 1965; Neubearbeitung von 381; auch englisch: Time and History. A Study on the Revelation. Richmond 1966.

387. –: Die Zukunft der Welt. Eine exegetische Studie über Johannesoffenbarung 19, 11–22, 15. Basel 1966; auch englisch: The Future of the World. An Exegetical Study of Rev 19, 11–22, 15. London 1972.

388. –: Alpha und Omega. Eine Deutung der Johannesoffenbarung. Basel 1966.

389. –: The Kerygma of the Revelation to John, in: Interpr 22 (1968), 3–17; auch spanisch: El kerigma del Apocalipsis, in: SelT 8 (1969), 300–304.

390. Rist, Martin: Revelation. A Handbook for Martyrs, in: IliffR 2 (1945), 269–280.

391. – und Hough, Lynn Harold: The Revelation of St. John the Divine, in: IntB XII. New York 1957, 345–613.

392. Rivera, Luis F.: Los siete espiritus del Apocalipsis, in: RevBibl 14 (1952), 35–39.

393. Rohmer, J.: L'Apocalypse et le sens chrétien de l'histoire, in: RevSR 26 (1952), 265–270.

394. Rohr, Ignaz: Die Geheime Offenbarung und die Zukunftserwartungen des Christentums (BZfr IV 5). Münster i. W. ³1922.

395. –: Der Hebräerbrief und die Geheime Offenbarung des heiligen Johannes (HSNT X). Berlin 1915; Bonn ⁴1932.

396. Roller, Otto: Das Buch mit sieben Siegeln, in: ZNW 36 (1937), 98–113.

397. Rousseau, François: L'Apocalypse et le milieu prophétique du Nouveau Testament. Structure et préhistoire du texte (Coll. Recherches, Théologie 3). Paris-Tournai-Rome et Montréal 1971.

398. Rowley, Harold Henry: The Relevance of Apocalyptic. A Study of Jewish and Christian Apocalypses from Daniel to the Revelation. London 1944 (²1947, ³1962; Nachdruck 1963); auch deutsch: Apokalyptik. Ihre Form und Bedeutung zur biblischen Zeit. Einsiedeln, Zürich und Köln ³1965.

399. Sabatier, Auguste: Les origines littéraires et la composition de l'Apocalypse de S. Jean. Paris 1888.

400. Sand, Alexander: Zur Frage nach dem ‚Sitz im Leben' der apokalyptischen Texte des Neuen Testaments, in: NTS 18 (1971/72), 167–177.

401. Sanders, Joseph Newbould: St. John on Patmos, in: NTS 9 (1962/63), 75–85.

402. Satake, Akira: Die Gemeindeordnung in der Johannesapokalypse (WMANT 21). Neukirchen 1966.

403. Sattler, Walther: Das Buch mit sieben Siegeln. Studien zum literarischen Aufbau der Offenbarung Johannis I. Das Gebet der Märtyrer und seine Erhörung, in: ZNW 20 (1921), 231–240.

404. –: Das Buch mit sieben Siegeln. Studien zum literarischen Aufbau der Offenbarung Johannis II. Die Bücher der Werke und das Buch des Lebens, in: ZNW 21 (1922), 43–53.

405. Saussure, Léopold de: La série septénaire, cosmologique et planétaire, in: JAs (1924).

406. –: Le cadre astronomique des visions de l'Apocalypse, in: Actes du Congrès international d'Histoire des Religions, tenu à Paris, oct. 1923, I. Paris 1925, 487–492.

407. Schabert, Arnold: Die sieben Sendschreiben. München 1968.

408. Schlatter, Adolf: Die Offenbarung des Johannes (Erläuterungen zum Neuen Testament XII, dann XIII; auch als selbständig paginierter Teil in: Gesamtausgabe III). (Calw und) Stuttgart 1904 (²1910, ³1921 = 1923, ⁴1928). Nachdruck: Die Briefe und die Offenbarung des Johannes ausgelegt für Bibelleser (Schlatters Erläuterungen zum Neuen Testament X). Stuttgart 1950 (Nachdruck Berlin 1953).

409. –: Das Alte Testament in der johanneischen Apokalypse (BFChTh XVI 6). Gütersloh 1912.

410. Schlier, Heinrich: Vom Antichrist. Zum 13. Kapitel der Offenbarung Johannis, in: Theologische Aufsätze Karl Barth zum 50. Geburtstag. München 1936, 110–123; auch in: Die Zeit der Kirche. Exegetische Aufsätze und Vorträge. Freiburg i. Br. 1956, 16–29.

411. –: Zum Verständnis der Geschichte nach der Offenbarung Johannis, in: Die Zeit der Kirche. Exegetische Aufsätze und Vorträge. Freiburg i. Br. 1956, 265–274.

412. –: Jesus Christus und die Geschichte nach der Offenbarung des Johannes, in: Einsichten. Gerhard Krüger zum 60. Geburtstag. Frankfurt a. M. 1962, 316–333; auch in: Besinnung auf das Neue Testament. Exegetische Aufsätze und Vorträge II. Freiburg, Basel und Wien 1964, 358–373.

413. Schmidt, Johann Michael: Die jüdische Apokalyptik. Die Geschichte ihrer Erforschung von den Anfängen bis zu den Textfunden von Qumran. Neukirchen 1969.

414. Schmidt, Karl Ludwig: Die Bildersprache in der Johannes-Apokalypse. Akademischer Vortrag am 4. März 1937 in der Universität Basel, in: ThZ 3 (1947), 161–177.

415. Schmiedel, Paul Wilhelm: Evangelium, Briefe und Offenbarung des Johannes nach ihrer Entstehung und Bedeutung (RV I 12). Tübingen 1906; auch englisch: 1906.

416. Schmitt, Eugen: Die christologische Interpretation als das Grundlegende der Apokalypse, in: ThQ 140 (1960), 257–290.

417. –: Das apokalyptische Weib als zentrale Enthüllung der Apokalypse. Köln 1965.

418. Schneider, Carl: Die Erlebnisechtheit der Apokalypse des Johannes. Leipzig 1930.

Schüßler, Elisabeth: siehe Fiorenza, Elisabeth.

419. Schütz, Roland: Die Offenbarung des Johannes und Kaiser Domitian (FRLANT 50). Göttingen 1933.

420. –: W. Foersters Erklärung der Bilder in Offenbarung Johannes 12 f. und 17 f., in: ThStKr 105 (1933), 456–466.

421. –: Art. Apokalyptik III. Altchristliche Apokalyptik, in: RGG I. Tübingen ³1957, 467–469.

422. Schwank, Benedikt: Der Zeitbegriff der Apokalypse, in: BM 43 (1967), 279–293.

423. Schweizer, Eduard: Die sieben Geister in der Apokalypse, in: EvTh 11 (1951/52), 502–512; auch in: Neotestamentica. Deutsche und englische Aufsätze 1951–1963, German and English Essays 1951–1963. Zürich und Stuttgart 1963, 190–202.

424. Scott, Ernest Findlay: The Book of Revelation. London 1939 (New York ⁴1940, Nachdruck 1949, London and New York ⁵1959).

425. Scott, Robert Balgarnie Young: The Original Language of the Apocalypse. Toronto 1928.

426. –: „Behold, He Cometh with Clouds", in: NTS 5 (1958/59), 127–132.

427. Semler, Johann Salomo: Abhandlung von freier Untersuchung des Canons nebst Antwort auf die Tübingische Vertheidigung der Apokalypsis. 4 Theile. Halle 1771–1776.

428. –: Neue Untersuchungen über Apokalypsin. Halle 1776.
   –: siehe auch Oeder, Georg Ludwig.

429. Shepherd, M. H.: The Paschal Liturgy and the Apocalypse. London and Richmond 1960.

430. Sickenberger, Joseph: Das tausendjährige Reich in der Apokalypse, in: Festschrift Sebastian Merkle gewidmet. Düsseldorf 1922, 300–316.

431. –: Die Johannesapokalypse und Rom, in: BZ 17 (1926), 270–282.

432. –: Die Deutung der Engel der sieben apokalyptischen Gemeinden, in: RQ 35 (1927), 135–149.

433. –: Erklärung der Johannesapokalypse. Bonn 1940 (²1942).

434. Sievers, Eduard: Die Johannesapokalypse klanglich untersucht und herausgegeben (AAL XXXVIII 1). Leipzig 1925.

435. Simon, M.: Retour du Christ et reconstruction du temple dans la pensée chrétienne, in: Aux sources de la tradition chrétienne. Mélanges Maurice Goguel. Neuchâtel 1950, 247–257.

436. Smitmans, Adolf: Entsiegelte Geschichte. Eine Auslegung von Offb. 5 (Wort und Hoffnung). Luzern und München 1971.

437. –: Ein Beispiel exegetischer Methoden aus dem Neuen Testament: Apk 14, in: Josef Schreiner (Hrsg.), Einführung in die Methoden der biblischen Exegese. Würzburg und Innsbruck 1971, 149–193.

438. Spitta, Friedrich: Die Offenbarung des Johannes untersucht. Halle 1889.

439. –: Christus das Lamm, in: Streitfragen der Geschichte Jesu. Göttingen 1907, 172–224.

440. Stählin, Gustav: „Siehe, ich mache alles neu". Das Leitwort für die Weltkirchenkonferenz 1968 und seine biblischen Hintergründe, in: ÖR 16 (1967), 237–252.

441. Staritz, Katharina: Zu Offenbarung Johannis 5, 1, in: ZNW 30 (1931), 157–170.

442. Stauffer, Ethelbert: Das theologische Weltbild der Apokalyptik, in: ZSTh 8 (1930), 203–215.

443. –: 666, in: CN 11 in honorem Antonii Fridrichsen sexagenarii (1947), 237–241.

444. Stefaniak, L.: Les éléments judaïques et les motifs hellénistiques du ch. 12 de l'Apocalypse à la lumière des textes qumraniens et des données de l'archéologie. Diss. habil. Warszawa 1970.

445. Steinmetzer, Franz Xaver: Der Sternensturz in der Johannesoffenbarung, in: FF 11 (1935), 436 f.

446. –: Der apokalyptische Drache, in: ThGl 28 (1936), 281–290.

447. Stott, Wilfrid: A Note on the Word κυριακή in Rev 1, 10, in: NTS 12 (1965/66), 70–75.

Strack, Hermann Lebrecht: siehe Billerbeck, Paul.

448. Stramare, T.: La chiesa nell'Apocalisse, in: Tabor 38 (1965), 38–53; auch in: L'Apocalisse. Studi biblici pastorali dell'Associazione Biblica Italiana II. Brescia 1967, 93–110.

449. Strand, Kenneth A.: Another Look at „Lord's Day" in the Early Church and in Rev 1, 10, in: NTS 13 (1966/67), 174–181.

450. Strathmann, Hermann: Was soll die „Offenbarung" des Johannes im Neuen Testament? Gütersloh 1934 ([2]1947).

451. Strobel, August: Abfassung und Geschichtstheologie der Apokalypse nach Kap. 17, 9–12, in: NTS 10 (1963/64), 433–445.

452. Stuhlmacher, Peter: „Siehe, ich mache alles neu!" in: LR 18 (1968), 3–18; auch englisch: „Behold I Make All Things New!", in: LW 15 (1968), 3–15.

453. Swete, Henry Barclay: The Apocalypse of St. John. The Greek Text with Introduction, Notes and Indices. London 1906 ([2]1907, [3]1909; Nachdruck Grand Rapids 1968).

454. Tasker, R. V. G.: The Revelation of St. John. An Introduction and Commentary (Tyndale New Testament Commentaries). Grand Rapids 1969.

455. Taylor, W. S.: The Seven Seals in the Revelation of John, in: JThS 31 (1930), 266–271.

456. Thompson, L.: Cult and Eschatology in the Apocalypse of John, in: JR 49 (1969), 330–350.

457. Tiefenthal, Franz Sales: Die Apokalypse des hl. Johannes erklärt für Theologiestudierende und Theologen. Paderborn 1892.

458. Tillmann, Fritz: Briefe und Geheime Offenbarung des Johannes (HSNT). Bonn 1927.

Tondriau, Jules: siehe Cerfaux, Lucien.

459. Torrey, Charles Cutler: Armageddon (Apoc 16, 16), in: HThR 31 (1938), 237–248.

460. –: The Apocalypse of John. New Haven and London 1958 (²1959).

461. Touilleux, Paul: L'Apocalypse et les cultes de Domitien et de Cybèle. Paris 1935.

462. Turner, N.: Revelation, in: Peake's Commentary on the Bible. London, Edinburgh, Paris, Melbourne, Johannesburg, Toronto and New York 1962, 1043–1061.

463. Unnik, Willem Cornelis van: De la règle μήτε προσθεῖναι μήτε ἀφελεῖν dans l'histoire du canon, in: VigChr 3 (1949), 1–36.

464. –: A Formula Describing Prophecy, in: NTS 9 (1962/63), 86–94.

465. –: Μία γνώμη, Apocalypse of John 17, 13.17, in: Studies in John Presented to Professor Dr. J. N. Sevenster on the Occasion of His Seventieth Birthday (Suppl. to NovTest 24). Leiden 1970, 209–220.

466. –: „Worthy is the Lamb". The Background of Apoc 5, in: Mélanges Béda Rigaux. Gembloux 1970, 445–461.

467. Vanhoye, Albert: L'utilisation du livre d'Ezéchiel dans l'Apocalypse, in: Bibl 43 (1962), 436–476.

468. Vanni, Ugo: La struttura letteraria dell'Apocalisse (Aloisiana 8) (Diss. Pont. Inst. Biblici 1970). Roma 1971.

469. Vischer, Eberhard: Die Offenbarung Johannis, eine jüdische Apokalypse in christlicher Bearbeitung. Mit einem Nachwort von Adolf Harnack. Leipzig 1886 (²1895 = TU II 3).

470. –: Art. Offenbarung des Johannes, in: RGG IV. Tübingen 1913, 922–937.

471. Vitringa, Campegius: Ἀνάκρισις Apocalypsios Joannis Apostoli. Franeker 1705 (Amsterdam ²1719).

472. Vögtle, Anton: Τῷ ἀγγέλῳ τῆς ... ἐκκλησίας, in: ObrhPastBl 67 (1966), 323–337.

473. –: Die Teilnahme am Hohepriestertum Christi nach der Apokalypse, in: SemEspT 26 (1969), 119–130.

474. –: Das Neue Testament und die Zukunft des Kosmos. Düsseldorf 1970.

475. –: Mythos und Botschaft in Apokalypse 12, in: Tradition und Glaube. Das frühe Christentum in seiner Umwelt. Festgabe für Karl Georg Kuhn zum 65. Geburtstag. Göttingen 1971, 395–415.

476. Völter, Daniel: Die Entstehung der Apokalypse. Freiburg 1882 (²1885).

477. —: Die Offenbarung Johannis keine ursprünglich jüdische Apokalypse. Eine Streitschrift gegen die Herren Harnack und Vischer. Tübingen 1886.

478. —: Das Problem der Apokalypse. Freiburg 1893.

479. —: Die Offenbarung Johannis neu untersucht und erläutert. Straßburg 1904 (²1911).

480. Vogel, Paul Joachim Siegmund: Commentatio de Apocalypsi Iohannis (Programme der Universität Erlangen). 7 Teile. Erlangen 1811–1816.

481. Volkmar, Gustav: Kommentar zur Offenbarung Johannis. Zürich 1862.

482. Waibel, Alois Adalbert: Auslegung der Offenbarung des heiligen Apostels Johannes. Augsburg 1834.

483. Weber, Hans Emil: Zum Verständnis der Offenbarung Johannis, in: Aus Schrift und Geschichte. Theologische Abhandlungen Adolf Schlatter zu seinem 70. Geburtstage dargebracht von Freunden und Schülern. Stuttgart 1922, 47–64.

484. Weiß, Bernhard: Die Johannesapokalypse (TU VII 1). Leipzig 1891.

485. Weiß, Johannes: Die Offenbarung des Johannes. Ein Beitrag zur Literatur- und Religionsgeschichte (FRLANT 3). Göttingen 1904.

486. —: Die Offenbarung des Johannes, in: SNT II. Göttingen 1907, Abschnitt 3, 84–162 (²1908, 597–684). Neubearbeitung durch Wilhelm Heitmüller: Die Offenbarung des Johannes, in: SNT IV. Göttingen (¹1907, ²1908) ³1918, 229–319.

487. Weizsäcker, Carl [Heinrich] (von): Das apostolische Zeitalter der christlichen Kirche. Freiburg i. Br. 1886, 504–531 (ebd. ²1892, 486–512; Tübingen und Leipzig ³1902, 486–512).

488. Wellhausen, Julius: Analyse der Offenbarung Johannis (AGG N. F. IX 4). Berlin 1907 (Nachdruck Göttingen und Wiesbaden 1970).

489. Wette, Wilhelm Martin Leberecht de: Kurze Erklärung der Offenbarung Johannis. Leipzig 1848 (²1854, ³1862).

490. Wettstein, Johann Jakob (Wetstenius, Joannes Jacobus): Ἀποκάλυψις Ἰωάννου τοῦ θεολόγου und De interpretatione libri Apocalypseos, in: Ἡ Καινὴ Διαθήκη. Novum Testamentum Grae-

cum II. Amsterdam 1752 (Nachdruck Graz 1962), 739–850 und 889–896.

491. Weyland, Gerard Johan: Omwerkings- en Compilatie-Hypothesen toegepast op de Apokalypse van Johannes. Groningen 1888.

492. Wikenhauser, Alfred: Der Sinn der Apokalypse des heiligen Johannes (Freiburger Antrittsrede). Münster i. W. 1931.

493. –: Die Herkunft der Idee des tausendjährigen Reiches in der Johannes-Apokalypse, in: RQ 45 (1937), 1–24.

494. –: Das neueste Schrifttum über die Apokalypse, in: ObrhPastBl (1942), 8–12.

495. –: Die Offenbarung des Johannes übersetzt und erklärt (RNT IX). Regensburg 1947 ([2]1948, [3]1959); auch holländisch: De openbaring van Johannes. Antwerpen 1966.

496. Windisch, Hans: Art. Johannesapokalypse, in: RGG III. Tübingen [2]1929, 330–346.

497. Zahn, Theodor (von): Art. Johannes der Apostel, in: RE IX. Leipzig [3]1901, 272–285.

498. –: Die Offenbarung des Johannes (KNT XVIII). 2 Bde. Leipzig und Erlangen 1924/1926.

499. Zeitschriften-Bibliographie, bearbeitet u. a. von Ulrich Wickert, Wolfgang Huber und Reinhard Schlieben, in: ZNW 48–61 (1957 bis 1970).

500. Zimmermann, Heinrich: Christus und die Kirche in den Sendschreiben der Apokalypse, in: Unio Christianorum. Festschrift Lorenz Jaeger. Paderborn 1962, 176–197.

Nachtrag 1988

I. DIE ERFORSCHUNG DER JOHANNESAPOKALYPSE SEIT 1975

Nicht das Jahr der ersten Auflage dieses Bändchens (1975) markiert einen nennenswerten Einschnitt in der neueren Geschichte der Auslegung der Johannesoffenbarung, sondern die Bibelenzyklika des Papstes Pius XII. (reg. 1939–1958) vom 30. September 1943, ›Divino afflante Spiritu‹. In ihr wird den römisch-katholischen Exegeten die historisch-kritische Erforschung der Bibel ausdrücklich zugestanden; seit 1943 und vor allem nach 1945 erreicht die katholische Apokalypseforschung den uneingeschränkten Anschluß an die neutestamentliche Wissenschaft der Protestanten. Deshalb darf dieser Nachtrag von der konfessionellen Zugehörigkeit der genannten Autorinnen und Autoren absehen. Auch die Notwendigkeit der Kombination aller wissenschaftlichen Methoden ist längst Communis opinio der neueren Apokalypseforschung, so daß der folgende Überblick nicht nach „Methoden", sondern nach Gattungen der Sekundärliteratur und Problemen der Johannesapokalypse selbst geordnet werden konnte. Auf die Bibliographie 1988 am Schluß wird unter Angabe der Titelnummer (Nr. 501–700) mit vorgesetztem N (= Nachtrag) Bezug genommen; die Ziffer III vor einer Nummer verweist weiterhin auf die Bibliographie der ersten Auflage (1975, oben S. 123–154).

1. Kommentare seit 1975

Zwischen 1943 und 1975 sind zunächst nur „kleine", d. h. allgemeinverständliche und auf einen wissenschaftlichen Anmerkungsapparat weitgehend verzichtende Kommentare zur Johannesapokalypse erschienen. Hier seien noch einmal Alfred Wikenhauser (1947; III Nr. 495) und Eduard Lohse (1960; III Nr. 278) genannt, deren

Auslegungen jetzt in 3. (1959) bzw. 6. Auflage (1983) vorliegen. Ihnen tritt Eduard Schick zur Seite, dessen 1952 in Würzburg erschienener Band der ›Echter-Bibel‹ (NT III: Die Apokalypse) alle seriösen Methoden der Apokalypse-Exegese verbindet; dies gilt auch für Schicks Kommentierung der Apokalypse von 1971 (N Nr. 653). Im Jahre 1959 legte Augustyn Jankowski seine Auslegung der Johannesoffenbarung vor (N Nr. 602).

Noch vor 1975 folgte als erster „großer" Kommentar im ›Handbuch‹ der bekannten Auslegung Ernst Lohmeyers (III Nr. 275) diejenige von Heinrich Kraft (1974; III Nr. 257; siehe oben S. 22 und 28f.). Wenig später veröffentlichte die Amerikanerin Josephine Massyngberde Ford in der Reihe der ›Anchor Bible‹ ihre Kommentierung der Apokalypse (1975; N Nr. 572). Ihr Buch ist in vieler Hinsicht Robert Henry Charles (III Nr. 103) verpflichtet, und zwar sowohl was die Rezeption der historisch-kritischen Methoden, insbesondere der Religions-, Traditions-, Literar- und Zeitgeschichte, betrifft, als auch hinsichtlich der Überschätzung literarkritischer Erkenntnisse. J. M. Ford hält Johannes den Täufer für den Verfasser der Urapokalypse (Apk 4–11); in den Kapiteln Apk 12–22 sieht sie eine Interpretation von Apk 4–11 durch einen Täuferschüler, in den Kapiteln Apk 1–3 die Schöpfung eines christlichen Redaktors. So gelangt die Autorin zu einem zwei (Apk 12–22) bis sieben Jahrzehnte (Apk 4–11) höheren Alter der Johannesoffenbarung und zu einer entsprechenden Verschiebung zeitgeschichtlicher Anspielungen. Daran ist wohl nur so viel richtig, daß in der Tat mancherlei Berührungen zwischen Aussagen der Johannesapokalypse und der Täuferpredigt zu beobachten sind; diese Übereinstimmungen können jedoch auch Allgemeingut der altjüdischen Apokalyptik sein und berechtigen selbst dann nicht zu einer Gleichsetzung des christlichen Apokalyptikers Johannes mit Johannes dem Täufer, wenn man mit der Aufnahme von Täufertraditionen durch die Johannesoffenbarung rechnet.

Weniger thesenfreudig, aber dafür klug und informativ ist der allgemeinverständliche, alle Ergebnisse historisch-kritischer Apokalypseforschung berücksichtigende Kommentar von Ray Frank Robbins (1975; N Nr. 646). – Eine Apokalypseauslegung besonderer Art ist der allgemeinverständliche, reich illustrierte Band von Gilles Quispel (1979; N Nr. 641). Der Textteil besteht aus dem vollständigen Wortlaut der Apokalypse nach der King James Version, eingeleitet und knapp kommentiert nach dem neuesten Stand der wissenschaftlichen Forschung (altjüdisches, astrales, gnostisches, frühchristliches Vergleichsmaterial) und bereichert durch zwei wirkungsgeschichtliche Kapitel, in denen u. a. die Apokalypsedeutung Martin Luthers, Joachims v. Fiore, C. G. Jungs und der offiziellen Kirchen sowie die Einflüsse der Johannesoffenbarung auf die christliche Kunst behandelt werden. Zahlreiche Abbildungen von Kunstwerken aller Jahrhunderte, verteilt über das ganze Buch und thematisch, nicht stilistisch-chronologisch geordnet, veranschaulichen die unerhörte Wirkung der Apokalypse auf Malerei, Graphik und Plastik des kirchlichen Kunstschaffens. Leider wird nur sehr wenig Sekundärliteratur genannt, mit der sich Quispel höchstens beiläufig auseinandersetzt.

Eugenio Corsini legte 1980 eine bemerkenswerte Kommentierung der Apokalypse vor, die 1984 aus dem Italienischen ins Französische übersetzt wurde (N Nr. 554). Mit einem Minimum an Literaturangaben und ohne Fußnoten, basiert Corsinis allgemeinverständliche, fortlaufende Auslegung auf der neueren historisch-kritischen Exegese der Johannesoffenbarung. Diskussionswürdig ist die von Corsini vorgeschlagene Gliederung der Apokalypse, legitim auch sein Bemühen um ständige Aktualisierung für den modernen Bibelleser. Dagegen wird sein konsequent unternommener, allzu einseitiger Versuch, die – zumindest auch – futurische Eschatologie der Johannesoffenbarung als präsentische Eschatologie zu erweisen, den Intentionen des Apokalyptikers nicht gerecht.

Nach jahrelangen Vorarbeiten (III Nr. 367 f.; N Nr. 634–638) hat inzwischen Pierre Prigent eine vollständige Kommentierung der Johannesapokalypse vorgelegt (1981; N Nr. 639); bei dem umfangreichen, streng historisch-kritisch ausgerichteten Werk handelt es sich um den ersten wissenschaftlichen Apokalypsekommentar in französischer Sprache seit demjenigen von Ernest-Bernard Allo (1921; III Nr. 2). Prigent diskutiert eine Fülle von Sekundärliteratur. Mit den Mitteln der Religions-, Traditions-, Literar- und Zeitgeschichte zeigt er auf, wie der Apokalyptiker in seiner Zeit und Gemeinde gedacht hat und verstanden wurde.

Auch Anton Vögtle ist schon mehrfach durch Einzeluntersuchungen zu Problemen der Johannesoffenbarung hervorgetreten (III Nr. 472–475; N Nr. 691 und 693). Nunmehr existiert aus seiner Feder eine allgemeinverständliche Auslegung wenigstens der wichtigsten Abschnitte der Apokalypse (1981; N Nr. 692). Da es sich dabei um die überarbeitete Buchfassung einer von Advent 1979 an veröffentlichten Artikelfolge handelt, fehlen Literaturangaben und wissenschaftliche Anmerkungen. Gleichwohl wird der Charakter des von Vögtle für das ›Regensburger Neue Testament‹ vorbereiteten Kommentars schon jetzt deutlich: Verknüpfung aller historisch-kritischen Methoden, insbesondere ein starkes Interesse an der Zeitgeschichte, Abweisung endgeschichtlicher Fragestellungen, aber seelsorgliche Stärkung der Hoffnung und des Glaubens.

Im Jahre 1984 sind gleich zwei deutschsprachige Apokalypsekommentare erschienen: diejenigen von Ulrich B. Müller und Jürgen Roloff. Die Auslegung Müllers (N Nr. 629) ist, entsprechend den Richtlinien des ›Ökumenischen Taschenbuchkommentars‹, sowohl eine allgemeinverständliche Einführung wie auch zugleich ein „großer" Kommentar, der die Sekundärliteratur ausführlich aufarbeitet. Alttestamentliche, altjüdische und hellenistische Parallelen der Johannesoffenbarung werden angeführt, alle Fragestellungen der historisch-kritischen Exegese diskutiert. Dagegen mußte Jürgen Roloff (N Nr. 648), im Rahmen der ›Zürcher Bibelkommentare‹, das Literaturverzeichnis knapphalten und auf eine ausdrückliche Auseinandersetzung mit der Sekundärliteratur verzichten. Gleichwohl zeigen Einführung und Auslegung, daß Roloffs Kommentar die exegetische Diskussion voraussetzt und den neuesten Stand der historisch-kritischen Apokalypseforschung repräsentiert; besonders interessiert ist der Autor an den Aussagen der Johannesoffenbarung zu Schöpfung und Staat.

Auch der vorerst neueste Kommentar zur Apokalypse des Johannes, derjenige von Heinz Giesen (1986; N Nr. 584), bleibt allgemeinverständlich und verzichtet auf Fußnoten und bibliographische Verweise. Giesen, der bereits mehrere Einzelstudien zur Johannesoffenbarung vorgelegt hat (vgl. N Nr. 579–583 und 585), geht von den Methoden und Fragestellungen der historisch-kritischen Exegese aus; als Verfasser der Apokalypse gilt ihm ein Wanderprophet, der nicht mit dem Autor des Evangeliums und der Briefe des Johannes identisch sein kann. Die zeitlose Gültigkeit der Johannesapokalypse stellt Giesen heraus, indem er die zeitgeschichtliche Situation der ersten Adressaten ermittelt und mit derjenigen moderner Leser vergleicht.

Ausnahmslos alle seit 1943 erschienenen Kommentare zur Apokalypse machen die Erkenntnisse historisch-kritischer Exegese fruchtbar für einen kirchlich interessierten und geprägten Leserkreis. Auch und nicht zuletzt den nichttheologischen Benutzer setzen, wie schon Wikenhauser (III Nr. 495) und Lohse (III Nr. 278), die Taschenbücher von Robbins (N Nr. 646), Corsini (N Nr. 554), U. B. Müller (N Nr. 629), Roloff (N Nr. 648) und Giesen (N Nr. 584) voraus; erst recht gilt das für die gemeindebezogenen Auslegungen von Schick (N Nr. 653) und Vögtle (N Nr. 692).

Im klassischen Sinn „große" Kommentare nach 1945 sind nur diejenigen von Kraft (III Nr. 257), Ford (N Nr. 572) und Prigent (N Nr. 639); ihnen ist auf Grund seiner ausführlichen Literaturangaben und -diskussionen auch der ›Ökumenische Taschenbuchkommentar‹ von U. B. Müller (N Nr. 629) zuzurechnen. Dagegen bleibt der Ertrag des Buches von Quispel (N Nr. 641) für die Apokalypse-Exegese vergleichsweise gering; sein Wert liegt im überzeugenden Nachweis der erstaunlichen Wirkungsgeschichte der Johannesoffenbarung, insbesondere im Bereich der bildenden Kunst. Von ärgerlicher Einseitigkeit belastet wird der ansonsten gescheite und materialreiche Apokalypsekommentar von Ford (N Nr. 572).

2. Einführungen und Literaturberichte

Zwischen Kommentaren und allgemeinen, einzelne Perikopen der Johannesapokalypse paradigmatisch auslegenden Einführungen sind die Grenzen begreiflicherweise fließend. Schon 1973 erschien von Hildegard Gollinger eine allgemeinverständliche, insbesondere

Einleitungsfragen erörternde Darstellung der Apokalypse, ihrer Probleme und ihrer theologischen Bedeutung (III Nr. 182 a). Fast schon ein Kommentar ist Elisabeth Schüssler Fiorenzas Einladung, sich mit dem letzten Buch des Neuen Testaments zu beschäftigen (1981; N Nr. 568); nach zahlreichen Vorarbeiten der Autorin (zuletzt N Nr. 562–569) darf man auf einen wissenschaftlichen Kommentar von hoher Qualität hoffen. In diesen Zusammenhang gehört noch der große TRE-Artikel von August Strobel (1978; N Nr. 670), der prägnant den derzeitigen Forschungsstand referiert und eine Fülle von Sekundärliteratur angibt.

Für die Rezeption der Johannesapokalypse in Theologie und Kirche, vor allem aber für die Fortschritte in der wissenschaftlichen Aufarbeitung dieses lange vernachlässigten Buches, sind Literatur- und Forschungsberichte besonders aufschlußreich. Bahnbrechend wirkte hier das auch methodisch vorzügliche Buch von André Feuillet (1963; III Nr. 153); mein 1975 in erster Auflage erschienenes Bändchen (N Nr. 528) konnte an Feuillet anknüpfen.

Ugo Vanni, schon 1976 durch einen Literaturbericht für die Jahre 1970–1975 hervorgetreten (RivBib 24, 1976, S. 277–301), resümiert im ausdrücklichen Anschluß an Feuillets ›Etat de la question‹ (III Nr. 153) die zur Johannesoffenbarung zwischen 1963 und 1980 erschienenen Veröffentlichungen (1980; N Nr. 683); im einzelnen diskutiert er Bibliographien und Einführungen, Untersuchungen zur Hermeneutik, literarische Aspekte, religionsgeschichtliche Fragen sowie das Verhältnis des Apokalyptikers und seiner Theologie zum Alten und Neuen Testament.

Schließlich ist der umfangreiche Literaturbericht von Jens-W. Taeger zu nennen (1984; N Nr. 672), der eine große Zahl wissenschaftlicher Publikationen der Jahre 1968–1982 bibliographiert und aufarbeitet. Taeger fragt zunächst nach der „Auslegungsmethode" (wobei ihm darin beizupflichten ist, daß es für die Auslegung der Apokalypse keine besondere „Methode" geben kann, sondern nur die Verknüpfung der historisch-kritischen „Fragehinsichten" seriöser neutestamentlicher Exegese), bespricht den Kommentar von Heinrich Kraft und wendet sich dann der Literatur zu Einzelproblemen der Offenbarung des Johannes zu (Verfasser und Abfassungszeit, Literarkritik, Komposition, Gattung, Theologie, Entstehungsbedingungen). Ein eigener Abschnitt ist der „politischen Theologie" der Apokalypse gewidmet; „offene Fragen" nennt das Schlußkapitel.

Aus Raumgründen können die in den letzten Jahren relativ zahlreich gewordenen Untersuchungen zur älteren Wirkungsgeschichte der Johannesoffenbarung hier nicht besprochen werden. Als Einstieg vermag der oben genannte Kommentar von Gilles Quispel (N Nr. 641) zu dienen; wenigstens erwähnt sei das große Werk von Frits van der Meer (Apocalypse, Visioenen uit het Boek der Openbaring in de kunst, Antwerpen 1978; deutsch Freiburg i. Br./Basel/Wien 1978). Drei weitere Titel nennt die „Vorbemerkung" der Nachtragsbibliographie (unten S. 170).

3. Exegetische Einzelprobleme

Heutzutage unbestritten ist die Tatsache, daß eine sachgerechte Auslegung der Johannesapokalypse keine besondere *Methode* fordert, sondern alle „Methoden" der historisch-kritischen Bibelwissenschaft wie Textkritik, Zeit-, Religions-, Traditionsgeschichte, Literar-, Form- und Redaktionsgeschichte miteinander verbinden muß (vgl. A. Feuillet 1961; III Nr. 150; J.-W. Taeger 1984; N Nr. 672). Deshalb bleiben Veröffentlichungen zur Auslegungsmethode selten (vgl. immerhin P. Prigent 1979/80; N Nr. 636). Im folgenden nenne ich neuere Literatur zu den – herkömmlicherweise als Methoden bezeichneten – Fragestellungen der historisch-kritischen Apokalypseauslegung; daran schließen sich Untersuchungen zu Themen der Johannesoffenbarung an (Gottesvorstellung, Christologie, Pneumatologie, Ekklesiologie, Eschatologie). Da nur Publikationen der Nachtragsbibliographie aufgeführt werden, beziehen sich die Zahlen in Klammern nach dem Autornamen auf dieses Literaturverzeichnis; hier sind auch die Erscheinungsjahre sowie die vollständigen Vornamen verzeichnet.

Die *Zeitgeschichte* erforscht die konkreten historischen Bezüge und politischen Voraussetzungen der Johannesoffenbarung; ihre Erkenntnisse kommen besonders der Klärung *einleitungswissenschaftlicher Fragen* zugute. Seit langem fesselt die Forscher der Konflikt zwischen dem Anspruch des römischen Kaiserkults und den Judenchristen Kleinasiens; er bildet den Hintergrund der Martyriumsparänese des Apokalyptikers und gestattet, zusammen mit der Entschlüsselung der „Kaiserliste" von Apk 17,9–11, höchstwahrscheinlich eine *Datierung* der Apokalypse in die letzten Regierungsjahre des 96 n.Chr. ermordeten Kaisers Domitian (vgl. H.W. Günther [591], S.100–148). Auch A.Y. Collins (545/546) erschließt als Hintergrund der Johannesoffenbarung die Herrschaft Domitians, während A.A. Bell (519) für eine Datierung auf 68/69 n.Chr. eintritt. Den Bezug von Apk 17,9 zur Siebenhügelstadt Rom belegt S.Garofalo (573).

Zur Zeitgeschichte gehört auch die *Sozialgeschichte*. Das dritte Siegel (Apk 6,5f.) ist möglicherweise ein Symbol sozialer Ungerechtigkeit (U.Vanni [680]). Soziale Voraussetzungen und Ordnungen der angeschriebenen christlichen Gemeinden (Apk 2f.) bilden einen Teil der Ekklesiologie der Johannesapokalypse (vgl. u.a. D.E. Aune [502]).

Von den Einleitungsfragen die wichtigste ist, nächst dem Problem der Datierung, die *Frage nach dem Verfasser*. Fast alle Ausleger gehen davon aus, daß Johannes (Apk 1,1.4 u.ö.) der wirkliche Name des Visionärs ist; der Vorschlag, die Offenbarung des Johannes, analog den altjüdischen Apokalypsen, als Pseudepigraphon aufzufassen (J. Becker [518]), hat sich nicht durchgesetzt. Weiterhin rätselvoll ist das Verhältnis der Apokalypse zum Evangelium des Johannes; neben gewichtigen Unterschieden sind auch frappante Berührungspunkte unübersehbar (E.S. Fiorenza [565], O.Böcher [531/532], G.Strecker [669], J.-W. Taeger [673]).

Noch immer widmen sich außerordentlich zahlreiche Untersuchungen den Problemen der *Religions- und Traditionsgeschichte*. Sowohl alttestamentlich-jüdische, häufig aus altorientalisch-außerbiblischen Wurzeln stammende, als auch heidnisch-hellenistische Stoffe und Vorstellungen sind, wie von der jüdischen Apokalyptik, so auch vom Autor der Johannesoffenbarung übernommen und überformt worden (vgl. P.-M. Bogaert [538], K.Koch/J.M. Schmidt

[611], D. Flusser [571]). Der alttestamentlich-jüdische Hintergrund der Vorstellungs-, Bilder- und Sprachwelt der Johannesapokalypse kann gar nicht hoch genug veranschlagt werden. Wenigstens einige Autoren religions- und traditionsgeschichtlicher Abhandlungen seien genannt: R. Bergmeier (521–523), O. Böcher (529, 535–537), J. Coppens (553), A. Feuillet (561), A. S. Geyser (576/577), P. Prigent (635), A. Satake (650), A.-P. van Schaik (652), K. A. Strand (664–668), M. Wilcox (695).

Einen breiten Raum unter den neueren Untersuchungen zur Apokalypse nehmen Forschungen zur *Literar-, Form-* bzw. *Gattungs-* und *Redaktionsgeschichte* ein; dabei sind die Grenzen zur Traditionsgeschichte einerseits und zur Frage nach Denk-, Sprach- und Glaubensstrukturen andererseits durchaus fließend. Der Autor der Johannesoffenbarung hat tradierte Stoffe aufgenommen, überarbeitet, verzahnt, kompositorisch gegliedert und für bestimmte Leser in bestimmter Situation vorgesehen; formgeschichtliche Fragen gelten sowohl den übernommenen Materialien als auch den daraus geformten neuen Texten des christlichen „Apokalyptikers letzter Hand".

Wie die jüdische Apokalyptik aus dem Prophetismus hervorgegangen ist, so ist auch die Apokalypse des Johannes von Bildern und Redeformen der altjüdischen Prophetie und Apokalyptik bestimmt (außer bereits F. Hahn [III Nr. 195] vgl. U. B. Müller [628] und E. S. Fiorenza [567]). Aus ihr stammen die in der Johannesoffenbarung nachweisbaren literarischen Gattungen: die eschatologischen Visionen und Schemata, die Hymnen und weisheitlichen Mahnungen (vgl. U. Vanni [679] und W. Popkes [633]). Vieles ist alttestamentliches Erbe (vgl. A. Y. Collins [544] und H. Giesen [579]); die Sieben Sendschreiben (Apk 2 f.) enthalten möglicherweise Strukturelemente eines Formulars der feierlichen Bundeserneuerung (W. H. Shea [658], K. A. Strand [667]). Liturgische Dialoge hat man in Apk 1,4–8 (U. Vanni [678]) und Apk 22,6–21 (M. A. Kavanagh [609]) erkannt, liturgische Elemente jedenfalls in den Rahmenstücken der Johannesapokalypse (F. Hahn [593]).

Kaum durchsetzen wird sich der geistreiche Versuch von J. L. Blevins (525–527), die Form der Offenbarung des Johannes als diejenige des antiken Dramas zu bestimmen. Die Bücher U. Vannis zur literarischen Struktur (677 a) und M. Karrers zum Briefcharakter der Apokalypse (608) vermitteln dagegen Erkenntnisse von bleibendem Wert. Umstritten ist noch immer die genaue Abgrenzung der Einzelabschnitte sowie der vom Apokalyptiker letzter Hand erstrebte Aufbau des Ganzen; die Grenzen zwischen beabsichtigter, steigernder Redundanz (vgl. H. W. Günther [591], S. 233–236) und kompositorischem Ungeschick bei der Übernahme ähnlicher Materialien sind offenbar fließend. Jeder Kommentator muß eine Strukturierung der Johannesapokalypse wagen; grundsätzliche Erwägungen zur Komposition haben u. a. E. S. Fiorenza (566), F. Hahn (592) und J. Lambrecht (618) vorgelegt.

Denk- und Sprachstrukturen der Offenbarung des Johannes sind vor dem Hintergrund der religiösen, ethnischen und sprachlichen Herkunft ihres Autors zu erforschen. Die Sprache der Apokalypse ist die Koine, das Umgangsgriechisch der hellenistisch-römischen Zeit (G. Mussies [630]); ihre Semitismen sind nicht nur ein syntaktisches, sondern auch ein theologisches Problem (vgl. S. Thompson [674]). Ohne alttestamentlich-jüdische Voraussetzungen sind die Bilder und Symbole des christlichen Apokalyptikers nicht zu verstehen (H. Giesen [582/583], U. Vanni [684]). Begriffsgeschichtliche Einzeluntersuchungen wie die von M. de Jonge (607) und B. Dehandschutter (558) bestätigen diese Erkenntnis.

Von den großen *Themen der Johannesapokalypse* sei zuerst die *Gottesvorstellung* genannt (A. Vögtle [691], T. Holtz [600]). Wesentlich stärkeres Interesse findet die *Christologie*, zumal hier die Untersuchungen zur altjüdischen Herkunft (Messias, Menschensohn; G. K. Beale [514]) und zur soteriologischen (E. S. Fiorenza [563]) bzw. ekklesiologischen Funktion des Christus (C. Wolff [699]) einbezogen werden müssen. Ein Standardwerk ist noch immer das Buch von T. Holtz (III Nr. 220); in den letzten Jahren entstanden zu christologischen Themen Monographien (N. Honjec [599]; F. Sieg [660]) und zahlreiche Aufsätze (F. Bovon [540], B. Gerhardsson [575], M. de Jonge [607], A. Jankowski [604/605], H. Giesen [582]). R. L. Jeske hat 1985 einen Beitrag zur *Pneumatologie* vorgelegt (606).

164

Mit dem in neuerer Zeit stark gewachsenen sozialgeschichtlichen Interesse (vgl. D. E. Aune [502]) hängt es zusammen, daß die *Ekklesiologie* der Johannesoffenbarung eingehender erforscht wird als zuvor, vor allem im Blick auf die Ämter und Ordnungen der Gemeinde (vgl. É. Cothenet [555]), aber auch auf die Verzahnung der Ekklesiologie mit der Eschatologie (vgl. O. Böcher [530]). Umfassende neuere Untersuchungen zur Ekklesiologie der Apokalypse stammen etwa von W. Huß (601) und C. Wolff (699). Die Kirche, die der feindlichen Welt, insbesondere dem heidnischen Staat, polar entgegengesetzt ist (A. Satake [651]), versteht sich selbst als das wahre, endzeitliche Israel (O. Böcher [534]). Angesichts drohender Christenverfolgungen fordert die ethische Paränese der Johannesoffenbarung das Ausharren im Leid, das Festhalten an den Geboten Gottes und am Zeugnis für Jesus (J. P. M. Sweet [671], H. Giesen [579/580], A. Y. Collins [548], O. Böcher [537]).

Auch die Untersuchungen der zentralen Kapitel Apk 12 und Apk 21 f. sind durchweg Beiträge zur Ekklesiologie des Apokalyptikers. Die Sonnenfrau ist der himmlische Prototyp der mit „Israel" identischen Kirche (U. Vanni [682], H. Giesen [581], R. Bergmeier [521], H. Gollinger [587]). Das Thema der – durch die irdische Kirche antizipierten – Himmelsstadt (W. W. Reader [642], D. Georgi [574], O. Böcher [530], R. Bergmeier [522]) mit ihren strahlenden Edelsteinen (O. Böcher [529], W. W. Reader [643], M. Wojciechowski [697]), die Symbole sowohl des Tierkreises als auch der Stämme des erneuerten Israel darstellen, verknüpft kirchliche Gegenwart und eschatologische Hoffnung (vgl. A. Läpple [615], A. Vögtle [693]).

Zur *Eschatologie* und zum *Geschichtsbild* der Johannesoffenbarung sind in den Jahren nach 1975 weniger Untersuchungen erschienen, als die Bedeutung gerade dieser Thematik für die Apokalypse des Johannes vermuten lassen würde. Vielleicht hängt dies noch mit der traditionellen Mißdeutung der Apokalypse als einer wahrsagenden Verschlüsselung ferner Zukunftsereignisse zusammen; ähnliche Motive dürften wirksam sein, wo das spannungsvolle Ineinander futurischer Eschatologie und präsentischer Eschatologie (= Ekklesiologie) zugunsten der letzteren aufgehoben werden soll

(Corsini [554]; vgl. dagegen Böcher [530]). Zwischen Nah- und Enderwartung unterscheidet H. W. Günther (591).

Gesonderte Darstellung erfuhren etwa die Reihenfolge der Endereignisse im Vergleich mit Ez 37–48 (J. Lust [624]), der Herrentag Apk 1,10 (U. Vanni [681]), das tausendjährige Reich Apk 20,1–6 (P. Prigent [635]) und das letzte Gericht Apk 20,11–15 (T. F. Glasson [586]). Vom polaren Gegensatz der Kirche zu Rom–Babylon ist nicht nur die Ekklesiologie des Apokalyptikers geprägt, sondern auch seine Eschatologie; dem Reich der Kaiser und Könige steht das Reich Gottes und seines Messias gegenüber (P. Prigent [638], G. Dautzenberg [557]), und dem römischen Anspruch auf Weltherrschaft begegnet das eschatologische Bekenntnis des Apokalyptikers zur kosmischen Herrschaft des im neuen Jerusalem thronenden Gottes und seines messianischen Mitregenten (F. Mußner [631], A. Vögtle [693]).

4. Aufgaben für die Zukunft

Auch die Flut gerade neuerer und neuester Publikationen zur Johannesapokalypse hat noch längst nicht alle Rätsel dieses Buches gelöst; nach wie vor fehlt es nicht an Forschungsaufgaben für die Apokalypse-Exegese der Zukunft (vgl. oben S. 24 f. sowie U. Vanni [683], S. 43–46, und J.-W. Taeger [672], S. 74 f.).

Beispielsweise müßte noch stärker die Kontinuität der altjüdischen Apokalyptik samt der aus ihr hervorgegangenen Offenbarung des Johannes mit dem alttestamentlichen Prophetismus gesehen und betont werden; der Zusammenhang von Apk 20–22 mit Ez 37–48 ist nicht nur ein traditionsgeschichtliches, sondern auch ein theologisch-hermeneutisches Problem. Nicht nur das Verhältnis der Johannesoffenbarung zu Evangelium und Briefen des Johannes bedarf einer überzeugenden Erklärung, sondern auch dasjenige zum übrigen Neuen Testament, etwa zu Paulus oder zu den apokalyptischen Texten außerhalb der Apokalypse des Johannes (vgl. J. Lambrecht [617]). Die Bestimmung der zeitgeschichtlichen Aspekte müßte präzisiert werden zur Frage nach politischen Forderungen an die Gemeinden des Apokalyptikers und den von ihm empfohlenen bzw.

selbst praktizierten Reaktionen (vgl. E.S. Fiorenza [564]); eine Verschlüsselung wie die Zahl 666 (Apk 13,18) sollte wohl auch der römischen Zensur begegnen.

Die Rolle der Engel und Dämonen in der Johannesapokalypse wurde bisher noch nicht umfassend monographisch behandelt; hier verrät sich ein gewisses Unbehagen der Ausleger. Überhaupt fehlt es für die Offenbarung des Johannes an einer angemessenen Hermeneutik, die differenzieren müßte zwischen Tradition und Redaktion, zwischen dem übernommenen Material und dem theologischen Profil des „Apokalyptikers letzter Hand". Zwischen jüdischem Erbe und christlichem Proprium wäre zu unterscheiden (vgl. K.M. Fischer [570]), aber auch, und noch vordringlicher, zwischen zeitbedingt überholten und zeitlos gültigen Aussagen des Apokalyptikers; nur so kann der kirchliche Theologe der Willkür unwissenschaftlicher Apokalypsedeutungen begegnen. Christliche Predigt wird am ehesten profitieren von einer weitergeführten Erforschung der Ekklesiologie und Eschatologie des Apokalyptikers: Zeit der Kirche ist Endzeit. Alle kirchlichen Ordnungen stehen unter dem eschatologischen Vorbehalt; sie werden legitimiert und relativiert von den ewigen Ordnungen des himmlischen Jerusalem.

II. BIBLIOGRAPHIE SEIT 1975
(mit Nachträgen)

Vorbemerkung

Seit 1975 sind wesentlich mehr wissenschaftliche Untersuchungen zur Apokalypse des Johannes erschienen als in fünf Jahrzehnten zuvor; fast sieht es so aus, als erlebe die Johannesoffenbarung – nicht ohne Zusammenhang mit dem derzeitigen Interesse an der altjüdischen Apokalyptik – im Augenblick eine Art Hochkonjunktur.

Wiederum mußte eine strenge Auswahl getroffen werden, um die Zahl von 200 Nachtragstiteln (N Nr. 501–700) nicht zu überschreiten. Die Kriterien entsprechen selbstverständlich den für die erste Auflage (1975) auf S. 121 f. skizzierten; auch diesmal wurden unwissenschaftliche und spekulative „Deutungen" ausgeschieden, selbst wenn es sich um ein so anspruchsvolles Buch handelte wie ›L'Apocalypse – Architecture en Mouvement‹ von Jacques Ellul (Paris/Tournai 1975; deutsch Neukirchen-Vluyn 1981).

Ebenfalls fehlen Untersuchungen zur Text- und Kanongeschichte, zur altkirchlichen, mittelalterlichen und reformatorischen Auslegungsgeschichte sowie zu den Auswirkungen der Johannesoffenbarung auf die allgemeine Geistesgeschichte, auf Kirchenbau und bildende Kunst. Wenigstens verwiesen sei auf drei Buchveröffentlichungen der neuesten Zeit: Gerhard Maier, Die Johannesoffenbarung und die Kirche (WUNT 25), Tübingen 1981; Georg Kretschmar, Die Offenbarung des Johannes, Die Geschichte ihrer Auslegung im 1. Jahrtausend (CThM, B, 9), Stuttgart 1985; Hans-Ulrich Hofmann, Luther und die Johannes-Apokalypse. Dargestellt im Rahmen der Auslegungsgeschichte des letzten Buches der Bibel und im Zusammenhang der theologischen Entwicklung des Reformators (BGBE 24), Tübingen 1982.

Die folgenden 200 Publikationen enthalten einige mir erst später bekanntgewordene Nachträge aus den Jahren 1955–1975 (N Nr. 518, 540, 555, 562–564, 601, 602, 613, 634, 642, 653, 662, 694) sowie einige forschungsgeschichtlich bedeutsame ältere Titel (N Nr. 524, 542, 598, 612, 696), insbesondere den Kommentar des gelehrten Benediktiners Augustin Calmet (1672–1757; 1788; N Nr. 542), den maßvoll „endgeschichtlich" bestimmten, von Theodor Kliefoth (1874; III Nr. 249) abhängigen Kommentar des katholischen Bibelwissenschaftlers August Bisping (1811–1884; 1876; N Nr. 524) und die „reichsgeschichtlich" ausgerichteten, sich an „Weissagung und Erfüllung" (III Nr. 219) anschließenden, posthum edierten Apokalypsevorlesungen von Johann Christian Konrad v. Hofmann (1810–1877; 1896; N Nr. 598).

Alle anderen – 181 – Veröffentlichungen sind seit der ersten Auflage des vorliegenden EdF-Bändchens herausgekommen; ihre Zahl ließe sich leicht auf das Doppelte vermehren, doch hoffe ich die wichtigsten Untersuchungen erfaßt zu haben. Allen Kollegen und Mitarbeitern, die mich durch Zusendung von Sonderdrucken und durch bibliographische Hinweise unterstützt haben, sei auch an dieser Stelle vielmals gedankt.

Abkürzungen

ACra Analecta Cracoviensia (Krakow)   *AJBI* Annual of the Japanese Biblical Institute (Tokyo)   *Aloi.* Aloisiana (Napoli)   *AncB* The Anchor Bible (Garden City, N. Y.)   *AUSS* Andrews University Seminary Studies (Berrien Springs, Mich.)   *BEThL* Bibliotheca Ephemeridum Theologicarum Lovaniensium (Gembloux/Leuven)   *Bob.* Bobolanum (Warszawa)   *BR* Biblical Research (Amsterdam)   *BTB* Biblical Theology Bulletin (St. Bonaventure, N. Y.)   *Christus* Christus, Cahiers spirituels (Paris)   *CNT(N)* Commentaire du Nouveau Testament (Neuchâtel, dann Lausanne/Paris)   *CrStor* Cristianesimo nella Storia (Bologna)   *CThMi* Currents in Theology and Mission (St. Louis, Mo.)   *EdF* Erträge der Forschung (Darmstadt)   *EHRUSHS* Études d'Histoire des Religions de l'Université des Sciences Humaines de Strasbourg (Paris)   *EHS.T* Europäische Hochschulschriften, Reihe 23: Theologie (Frankfurt a. M./Bern/ New York)   *ETR* Études Théologiques et Religieuses (Montpellier)   *fzb* Forschung zur Bibel (Würzburg)   *Gr.* Gregorianum (Roma)   *GrThJ* Grace Theological Journal (Winona Lake, Ind.)   *GSl* Geistliche Schriftlesung (Düsseldorf)   *GSThR* Gießener Schriften zur Theologie und Religionspädagogik des Fachbereichs Religionswissenschaften der Justus-Liebig-Universität (Gießen)   *HDR* Harvard Dissertations in Religion (Missoula)   *JStNT* Journal for the Study of the New Testament (Sheffield)   *LV(L)* Lumière et Vie (Lyon)   *Mar.* Marianum (Roma)   *NEB* Die Neue Echter Bibel (Würzburg)   *NRTh* Nouvelle Revue Théologique (Louvain u. a.)   *NV* Nova et Vetera (Genève u. a.)   *ÖTK* Ökumenischer Taschenbuchkommentar zum Neuen Testament (Gütersloh/Würzburg)   *ParD* Parole de Dieu (Paris)   *PIBA* Proceedings of the Irish

Biblical Association (Dublin)   *PSNT* Pismo Święte Nowego Testamentu
(Poznań)   *QR(N)* Quarterly Review (Nashville, Tn.)   *RasT* Rassegna
di Teologia (Roma)   *RelStB* Religious Studies Bulletin (Edmonton)
RExp Review and Expositor (Louisville, Ky.)   *RivBib* Rivista Biblica
(Roma)   *RThPh* Revue de Théologie et de Philosophie (Lausanne)
Salm. Salmanticensis (Salamanca)   *SBFLA* Studii Biblici Franciscani
Liber Annuus (Jerusalem)   *ScEs* Science et Esprit (Bruges)   *Semeia*
Semeia, Biblical Criticism (Chico, C. A.)   *SKK* Stuttgarter Kleiner Kom-
mentar (Stuttgart)   *SNTU* Studien zum Neuen Testament und seiner
Umwelt (Linz)   *StMiss* Studia Missionalia (Roma)   *STV* Studia Theo-
logica Varsaviensia (Warszawa)   *ThBeitr* Theologische Beiträge (Wup-
pertal)   *ThG(B)* Theologie der Gegenwart (Bergen-Enkheim, dann Münster i. W.)   *TRE* Theologische Realenzyklopädie (Berlin/New York)
TynB Tyndale Bulletin (London/Cambridge)   *VF* Verkündigung und
Forschung (München)   *VT* Vetus Testamentum (Leiden)   *WdF* Wege
der Forschung (Darmstadt)   *ZBK* Zürcher Bibelkommentare (Zürich)

Bibliographie

501. Aletti, Jean-Noël: Essai sur la symbolique céleste de l'Apocalypse de
Jean, in: Christus 28 (1981), 40–53.

502. Aune, David E.: The Social Matrix of the Apocalypse of John, in: BR 26
(1981), 16–32.

503. –: The Influence of Roman Imperial Court Ceremonial on the Apocalypse of John, in: BR 28 (1983), 5–26.

504. –: The Apocalypse of John and the Problem of Genre, in: Semeia 36
(1986), 65–96.

505. –: The Apocalypse of John and Graeco-Roman Revelatory Magic, in:
NTS 33 (1987), 481–501.

506. Bach, Daniel: La structure au service de la prédication. Les sept lettres
d'Apocalypse 2–3 fournissent-elles un canevas de lecture théologique?, in:
ETR 56 (1981), 294–305.

507. Bachmann, Michael: Der erste apokalyptische Reiter und die Anlage
des letzten Buches der Bibel, in: Bibl 67 (1986), 240–275.

508. Barr, David L.: The Apocalypse as a Symbolic Transformation of the
World. A Literary Analysis, in: Interpr 38 (1984), 39–50.

509. –: The Apocalypse of John as Oral Enactment, in: Interpr 40 (1986),
243–256.

510. Bauckham, Richard: Synoptic Parousia Parables and the Apocalypse, in: NTS 23 (1976/77), 162–176.

511. –: The Worship of Jesus in Apocalyptic Christianity, in: NTS 27 (1980/1981), 322–341.

512. –: Synoptic Parousia Parables Again, in: NTS 29 (1983), 129–134.

513. Beagley, Alan James: The „Sitz im Leben" of the Apocalypse with Particular Reference to the Role of the Church's Enemies (ZNW, Beiheft 50). Berlin/New York 1987.

514. Beale, Gregory K.: The Problem of the Man from the Sea in IV Ezra 13 and its Relation to the Messianic Concept in John's Apocalypse, in: Nov Test 25 (1983), 182–188.

515. –: The Use of Daniel in Jewish Apocalyptic Literature and in the Revelation of St. John. Lanham/New York/London 1984.

516. –: The Origin of the Title "King of Kings and Lord of Lords" in Revelation 17.14, in: NTS 31 (1985), 618–620.

517. Beauvery, Robert: L'Apocalypse au risque de la numismatique. Babylone, la grande Prostituée et le sixième roi Vespasien et la déesse Rome, in: RB 90 (1983), 243–260.

518. Becker, Joachim: Pseudonymität der Johannesapokalypse und Verfasserfrage, in: BZ, N. F. 13 (1969), 101 f.

519. Bell, Albert A.: The Date of John's Apocalypse. The Evidence of Some Roman Historians Reconsidered, in: NTS 25 (1978/79), 93–102.

520. Berger, Paul-Richard: Kollyrium für die blinden Augen, Apk 3:18, in: NovTest 27 (1985), 174–195.

521. Bergmeier, Roland: Altes und Neues zur „Sonnenfrau am Himmel (Apk 12)". Religionsgeschichtliche und quellenkritische Beobachtungen zu Apk 12,1–17, in: ZNW 73 (1982), 97–109.

522. –: „Jerusalem, du hochgebaute Stadt", in: ZNW 75 (1984), 86–106.

523. –: Die Buchrolle und das Lamm (Apk 5 und 10), in: ZNW 76 (1985), 225–242.

524. Bisping, August: Erklärung der Apokalypse des Johannes (Ders., Exegetisches Handbuch zum Neuen Testament IX). Münster i. W. 1876.

525. Blevins, James L.: The Genre of Revelation, in: RExp 77 (1980), 393–408.

526. –: Revelation as Drama. Nashville, Tn. 1984.

527. –: Revelation (Knox Preaching Guides). Atlanta, Ga. 1984.

528. Böcher, Otto: Die Johannesapokalypse (EdF 41). Darmstadt 1975 (²1980).

529. –: Zur Bedeutung der Edelsteine in Offb 21, in: Kirche und Bibel. Fest-

gabe Eduard Schick. Paderborn/München/Wien/Zürich 1979, 19–32; auch in: Ders., Kirche in Zeit und Endzeit (s. Nr. 533), 144–156.

530. –: Bürger der Gottesstadt. Kirche in Zeit und Endzeit nach Apk 21 f., in: Bewahren und Erneuern. Festschrift Theodor Schaller. Speyer 1980, 69–81; auch in: Ders., Kirche in Zeit und Endzeit (s. Nr. 533), 157–167.

531. –: Das Verhältnis der Apokalypse des Johannes zum Evangelium des Johannes, in: Jan Lambrecht (Hrsg.), L'Apocalypse johannique (s. Nr. 616), 289–301.

532. –: Johanneisches in der Apokalypse des Johannes, in: NTS 27 (1980/81), 310–321; auch in: Ders., Kirche in Zeit und Endzeit (s. Nr. 533), 1–12.

533. –: Kirche in Zeit und Endzeit. Aufsätze zur Offenbarung des Johannes. Neukirchen-Vluyn 1983.

534. –: Israel und die Kirche in der Johannesapokalypse, in: Ders., Kirche in Zeit und Endzeit (s. Nr. 533), 28–57.

535. –: Das tausendjährige Reich, ebd. 133–143.

536. –: Die Offenbarung des Johannes. Grundzüge ihrer Auslegung, in: Das letzte Buch der Bibel (Arnoldshainer Protokolle 1/83). Arnoldshain 1983, 21–30.

537. –: Lasterkataloge in der Apokalypse des Johannes, in: Leben lernen im Horizont des Glaubens. Festschrift Siegfried Wibbing. Landau 1986, 75–84.

538. Bogaert, Pierre-Maurice: Les Apocalypses contemporaines de Baruch, d'Esdras et de Jean, in: Jan Lambrecht (Hrsg.), L'Apocalypse johannique (s. Nr. 616), 47–68.

539. Boring, M. Eugene: The Theology of Revelation. „The Lord Our God the Almighty Reigns", in: Interpr 40 (1986), 257–269.

540. Bovon, François: Le Christ de l'Apocalypse, in: RThPh 3. Ser. 22 (1972), 65–80.

541. –: Possession ou enchantement. Les institutions romaines selon l'Apocalypse de Jean, in: CrStor 7 (1986), 221–238.

542. Calmet, Augustinus: Commentarius literalis in Apocalypsim B. Joannis Apostoli, in: Ders., Commentarius literalis in omnes libros Novi Testamenti (trad. a Joanne Dominico Mansi) IV. Würzburg 1788, 719–916.

543. Collins, Adela Yarbro: The Combat Myth in the Book of Revelation (HDR 9). Missoula 1976.

544. –: Revelation 18: Taunt-Song or Dirge?, in: Jan Lambrecht (Hrsg.), L'Apocalypse johannique (s. Nr. 616), 185–204.

545. –: Dating the Apocalypse of John, in: BR 26 (1981), 33–45.

546. –: Myth and History in the Book of Revelation. The Problem of its

Date, in: Traditions in Transformation. Festschrift Frank Moore Cross. Winona Lake, Ind. 1981, 377–403.

547. –: The Revelation of John. An Apocalyptic Response to a Social Crisis, in: CThMi 8 (1981), 4–12.

548. –: Persecution and Vengeance in the Book of Revelation, in: David Hellholm (Hrsg.), Apocalypticism in the Mediterranean World and the Near East. In Memoriam Philipp Vielhauer. Tübingen 1983, 729–749.

549. –: Crisis and Catharsis. The Power of the Apocalypse. Philadelphia 1984.

550. –: „What the Spirit Says to the Churches". Preaching the Apocalypse, in: QR(N) 4 (1984), 69–84.

551. –: Reading the Book of Revelation in the Twentieth Century, in: Interpr. 40 (1986), 229–242.

552. Conzelmann, Hans: Miszelle zu Apk 18,17, in: ZNW 66 (1975), 288–290.

553. Coppens, Joseph: La mention d'un Fils d'homme angélique en Ap 14, 14, in: Jan Lambrecht (Hrsg.), L'Apocalypse johannique (s. Nr. 616), 229.

554. Corsini, Eugenio: Apocalisse prima e dopo. Torino 1980; auch französisch: L'Apocalypse maintenant. Préface par Xavier Léon-Dufour (ParD 23). Paris 1984.

555. Cothenet, Édouard: L'Apocalypse, in: Jean Delorme (Hrsg.), Le Ministère et les ministères selon le Nouveau Testament (ParD 10). Paris 1974, 264–277.

556. Czajkowski, Michał: Apokalipsa jako księga profetycznego orędzia napomnienia, pokrzepienia i nadziei. Wrocław 1987.

557. Dautzenberg, Gerhard: Reich Gottes und Evangelium in der Johannesapokalypse. Ein Versuch zu Apk 4–22, in: Bernhard Jendorff/Gerhard Schmalenberg (Hrsg.), Theologische Standorte (GSThR 4). Gießen 1986, 7–31.

558. Dehandschutter, Boudewijn: The Meaning of Witness in the Apocalypse, in: Jan Lambrecht (Hrsg.), L'Apocalypse johannique (s. Nr. 616), 283–288.

559. Delobel, Joël: Le texte de l'Apocalypse. Problèmes de méthode, in: Jan Lambrecht (Hrsg.), L'Apocalypse johannique (s. Nr. 616), 151–166.

560. Draper, Jonathan A.: The Heavenly Feast of Tabernacles: Revelation 7.1–17, in: JStNT 19 (1983), 133–147.

561. Feuillet, André: La Femme vêtue du soleil (Ap 12) et la glorification de l'Épouse du Cantique des Cantiques (6,10), in: NV 59 (1984), 36–67. 103–128.

562. Fiorenza, Elisabeth Schüßler: Apocalyptic and Gnosis in the Book of Revelation and Paul, in: JBL 92 (1973), 565–581.

563. –: Redemption as Liberation: Apoc 1 : 5 f. and 5 : 9 f., in: CBQ 36 (1974), 220–232.

564. –: Religion und Politik in der Offenbarung des Johannes, in: Biblische Randbemerkungen. Schülerfestschrift Rudolf Schnackenburg. Würzburg 1974, 261–272.

565. –: The Quest for the Johannine School: The Apocalypse and the Fourth Gospel, in: NTS 23 (1976/77), 402–427.

566. –: Composition and Structure of the Book of Revelation, in: CBQ 39 (1977), 344–366.

567. –: Apokalypsis and Propheteia. The Book of Revelation in the Context of Early Christian Prophecy, in: Jan Lambrecht (Hrsg.), L'Apocalypse johannique (s. Nr. 616), 105–128.

568. –: Invitation to the Book of Revelation. A Commentary on the Apocalypse with Complete Text from the Jerusalem Bible. Garden City, N. Y. 1981.

569. –: The Followers of the Lamb. Visionary Rhetoric and Social-Political Situation, in: Semeia 36 (1986), 123–146.

570. Fischer, Karl Martin: Die Christlichkeit der Offenbarung Johannes, in: ThLZ 106 (1981), 165–172.

571. Flusser, David: Hystaspes and John of Patmos, in: Irano-Judaica. Jerusalem 1982, 12–75.

572. Ford, Josephine Massyngberde: Revelation. Introduction, Translation and Commentary (AncB XXXVIII). Garden City, N. Y. 1975.

573. Garofalo, Salvatore: „Sette monti, su cui siede la donna" (Apoc. 17,9), in: Kirche und Bibel. Festgabe Eduard Schick. Paderborn/München/ Wien/Zürich 1979, 97–104.

574. Georgi, Dieter: Die Visionen vom himmlischen Jerusalem in Apk 21 und 22, in: Kirche. Festschrift Günther Bornkamm. Tübingen 1980, 351–372.

575. Gerhardsson, Birger: Die christologischen Aussagen in den Sendschreiben der Offenbarung (Kap. 2–3), in: Theologie aus dem Norden (SNTU, A2). Linz 1976, 142–166.

576. Geyser, Albert S.: Some Salient New Testament Passages on the Restoration of the Twelve Tribes of Israel, in: Jan Lambrecht (Hrsg.), L'Apocalypse johannique (s. Nr. 616), 305–310.

577. –: The Twelve Tribes in Revelation. Judean and Judeo-Christian Apocalypticism, in: NTS 28 (1982), 388–399.

578. Giblin, Charles Homer: Revelation 11.1–13. Its Form, Function, and Contextual Integration, in: NTS 30 (1984), 433–459.

579. Giesen, Heinz: Heilszusage angesichts der Bedrängnis. Zu den Makarismen in der Offenbarung des Johannes, in: SNTU, A 6/7. Linz 1981/82, 191–223; auch in: Ders., Glaube und Handeln II. Beiträge zur Exegese und Theologie des Neuen Testaments (EHS.T 215) Frankfurt a. M./Bern/ New York 1983, 71–97.

580. –: Erlösung im Horizont einer verfolgten Gemeinde. Das Verständnis von Erlösung in der Offenbarung des Johannes, in: ThG(B) 25 (1982), 30–41; auch in: Ders., Glaube und Handeln (s. Nr. 579), 43–56.

581. –: Kirche auf dem Weg durch die Zeit. Zu Offenbarung 12,1–18, in: ThG(B) 25 (1982), 172–182; auch in: Ders., Glaube und Handeln (s. Nr. 579), 57–69.

582. –: Christusbotschaft in apokalyptischer Sprache. Zugang zur Offenbarung des Johannes, in: BiKi 39 (1984), 42–53.

583. –: „Das Buch mit den sieben Siegeln". Bilder und Symbole in der Offenbarung des Johannes, ebd. 59–65.

584. –: Johannes-Apokalypse (SKK.NT XVIII). Stuttgart 1986.

585. –: Der Christ und das Gericht. Heilsaussagen in der Johannes-Apokalypse, in: ThG(B) 30 (1987), 27–37.

586. Glasson, T. Francis: The Last Judgment – in Rev. 20 and Related Writings, in: NTS 28 (1982), 528–539.

587. Gollinger, Hildegard: Das „Große Zeichen". Offb 12 – das zentrale Kapitel der Offenbarung des Johannes, in: BiKi 39 (1984), 66–75.

588. Gordon, Robert P.: Loricate Locusts in the Targum to Nahum iii 17 and Revelation ix 9, in: VT 33 (1983), 338 f.

589. Goulder, Michael D.: The Apocalypse as an Annual Cycle of Prophecies, in: NTS 27 (1980/81), 342–367.

590. Gourgues, Michel: „L'Apocalypse" ou „les trois Apocalypses" de Jean?, in: ScEs 35 (1983), 297–323.

591. Günther, Hans Werner: Der Nah- und Enderwartungshorizont in der Apokalypse des heiligen Johannes (fzb 41). Würzburg 1980.

592. Hahn, Ferdinand: Zum Aufbau der Johannesoffenbarung, in: Kirche und Bibel. Festgabe Eduard Schick. Paderborn/München/Wien/Zürich 1979, 145–154.

593. –: Liturgische Elemente in den Rahmenstücken der Johannesoffenbarung, in: Kirchengemeinschaft – Anspruch und Wirklichkeit. Festschrift Georg Kretschmar. Stuttgart 1986, 43–57.

594. Hanhart, Karel: The Four Beasts of Daniel's Vision in the Night in the Light of Rev. 13.2, in: NTS 27 (1980/81), 576–583.

595. Hartmann, Lars: Form and Message. A Preliminary Discussion of „Par-

tial Texts" in Rev 1–3 and 22,6ff., in: Jan Lambrecht (Hrsg.), L'Apocalypse johannique (s. Nr. 616), 129–149.

596. Hellholm, David: The Problem of Apocalyptic Genre and the Apocalypse of John, in: Semeia 36 (1986), 13–64.

597. Hemer, C. J.: The Cities of the Revelation, in: G. H. R. Horsley (Hrsg.), New Documents Illustrating Early Christianity. A Review of the Greek Inscriptions and Papyri published in 1978. Macquarie Island (Australia) 1983, 51–58.

598. Hofmann, Johann Christian Konrad von: Die Offenbarung St. Johannis nach den Vorlesungen ... bearbeitet von E. von Lorentz. Leipzig 1896.

599. Hohnjec, Nikola: „Das Lamm – τὸ ἀρνίον" in der Offenbarung des Johannes. Eine exegetisch-theologische Untersuchung. Rom 1980.

600. Holtz, Traugott: Gott in der Apokalypse, in: Jan Lambrecht (Hrsg.), L'Apocalypse johannique (s. Nr. 616), 247–265.

601. Huß, Werner: Die Gemeinde der Apokalypse des Johannes. Münchner kath.-theol. Diss. 1967. Eichenried bei München 1968.

602. Jankowski, Augustyn: Apokalipsa św. Jana. Wstęp – przekład z oryginału – komentarz (PSNT XII). Poznań 1959.

603. –: Symbolika trzeciego jedźdźca Apokalypsy (Ap 6,5n.), in: ACra 13 (1981), 153–169.

604. –: Chrystus Apokalipsy Janowej a eon obecny, in: ACra 14 (1982), 243–294.

605. –: Chrystus Apokalipsi św. Jana, in: Ders., Dopowiedzenia Christologii Biblijnej. Poznań 1987, 83–167.

606. Jeske, Richard L.: Spirit and Community in the Johannine Apocalypse, in: NTS 31 (1985), 452–466.

607. Jonge, Marinus de: The Use of the Expression ὁ χριστός in the Apocalypse of John, in: Jan Lambrecht (Hrsg.), L'Apocalypse johannique (s. Nr. 616), 267–281.

608. Karrer, Martin: Die Johannesoffenbarung als Brief. Studien zu ihrem literarischen, historischen und theologischen Ort (FRLANT 140). Göttingen 1986.

609. Kavanagh, Michael Aelred: Apocalypse 22:6–21 as Concluding Liturgical Dialogue. Pontificia Universitas Gregoriana, theol. Diss. 1984. Roma 1984 (maschinenschriftlich).

610. Kehnscherper, Günther: ... und die Sonne verfinsterte sich. Die Santorinkatastrophe und die archäologischen Forschungen um das letzte Buch der Bibel. Halle 1972 (Aalen ²1980 = Druckfassung von Nr. 244).

611. Koch, Klaus/Schmidt, Johann Michael (Hrsg.): Apokalyptik (WdF 365). Darmstadt 1982.

612. Krauß, Samuel: Die Schonung von Öl und Wein in der Apokalypse, in: ZNW 10 (1909), 81–89.

613. Läpple, Alfred: Die Apokalypse nach Johannes. Ein Lebensbuch der Christenheit. München 1966.

614. –: Das Geheimnis des Lammes. Das Christusbild der Offenbarung des Johannes, in: BiKi 39 (1984), 53–58.

615. –: „Das neue Jerusalem". Die Eschatologie der Offenbarung des Johannes, ebd. 75–81.

616. Lambrecht, Jan (Hrsg.): L'Apocalypse johannique et l'Apocalyptique dans le Nouveau Testament (BEThL 53). Gembloux/Leuven 1980.

617. –: The Book of Revelation and Apocalyptic in the New Testament, in: Ders. (Hrsg.), L'Apocalypse johannique (s. Nr. 616), 11–18.

618. –: A Structuration of Revelation 4,1–22,5, ebd. 77–104.

619. Lampe, G. W. H.: The Testimony of Jesus is the Spirit of Prophecy (Rev 19 : 10), in: The New Testament Age. Festschrift Bo Reicke I. Macon, G. A. 1984, 245–258.

620. Lancellotti, Angelo: Predominante paratassi nella narrativa ebraizzante dell'Apocalisse, in: SBFLA 30 (1980), 303–316.

621. –: Il *kai* narrativo di „consecuzione" alla maniera del *wayyiqtol* ebraico nell'Apocalisse, in: SBFLA 31 (1981), 75–104.

622. –: Il *kai* „consecutivo" di predizione alla maniera del *wĕqataltî* ebraico nell'Apocalisse, in: SBFLA 32 (1982), 133–146.

623. Léon-Dufour, Xavier: Bulletin d'exégèse du Nouveau Testament. Autour de l'Apocalypse de Jean, in: RechSR 71 (1983), 309–336.

624. Lust, J.: The Order of the Final Events in Revelation and in Ezekiel, in: Jan Lambrecht (Hrsg.), L'Apocalypse johannique (s. Nr. 616), 179–183.

625. Mazzaferri, Frederick David: The Genre of the Book of Revelation from a Source-critical Perspective (ZNW, Beiheft). Berlin/New York 1988.

626. Mazzucco, Clementina: A proposito di alcuni studi recenti sull'Apocalisse, in: RivBib 31 (1983), 213–225.

627. Mounce, Robert H.: The Book of Revelation. Grand Rapids, Mich. 1977 (Nachdruck 1983).

628. Müller, Ulrich B.: Prophetie und Predigt im Neuen Testament. Formgeschichtliche Untersuchungen zur urchristlichen Prophetie (StNT 10). Gütersloh 1975.

629. –: Die Offenbarung des Johannes (ÖTK XIX). Gütersloh/Würzburg 1984.

630. Mussies, Gerard: The Greek of the Book of Revelation, in: Jan Lambrecht (Hrsg.), L'Apocalypse johannique (s. Nr. 616), 167–177.

631. Mußner, Franz: „Weltherrschaft" als eschatologisches Thema der Johannesapokalypse, in: Glaube und Eschatologie. Festschrift Werner Georg Kümmel. Tübingen 1985, 209–227.

632. O'Donovan, Oliver: The Political Thought of the Book of Revelation, in: TynB 37 (1986), 61–94.

633. Popkes, Wiard: Die Funktion der Sendschreiben in der Johannes-Apokalypse. Zugleich ein Beitrag zur Spätgeschichte der neutestamentlichen Gleichnisse, in: ZNW 74 (1983), 90–107.

634. Prigent, Pierre: Flash sur l'Apocalypse (Collection Flèches). Neuchâtel/Paris 1974.

635. –: Le millénium dans l'Apocalypse johannique, in: L'Apocalyptique (EHRUSHS 3). Paris 1977, 139–156.

636. L'Apocalypse: Exégèse historique et analyse structurale, in: NTS 26 (1979/80), 127–137.

637. –: „Et le ciel s'ouvrit". Apocalypse de saint Jean. Paris 1980.

638. –: Le temps et le Royaume dans l'Apocalypse, in: Jan Lambrecht (Hrsg.), L'Apocalypse johannique (s. Nr. 616), 231–245.

639. –: L'Apocalypse de saint Jean (CNT[N]XIV). Lausanne/Paris 1981.

640. –: L'étrange dans l'Apocalypse: une catégorie théologique, in: LV(L) 31,160 (1982), 49–60.

641. Quispel, Gilles: The Secret Book of Revelation. The Last Book of the Bible. London 1979.

642. Reader, William Wallace: Die Stadt Gottes in der Johannesapokalypse (Göttinger theol. Diss. 1971), Göttingen 1971 (maschinenschriftlich).

643. –: The Twelve Jewels of Revelation 21 : 19–20. Tradition History and Modern Interpretations, in: JBL 100 (1981), 433–457.

644. Riley, William: Temple Imagery and the Book of Revelation. Ancient Near Eastern Temple Ideology and Cultic Resonances in the Apocalypse, in: PIBA 6 (1982), 81–102.

645. Ritt, Hubert: Offenbarung des Johannes (NEB, NT XXI). Würzburg 1986.

646. Robbins, Ray Frank: The Revelation of Jesus Christ. Nashville, Tn. 1975.

647. Rochais, Gérard: Le règne des mille ans et la seconde mort: origines et sens. Ap 19,11–20,6, in: NRTh 103 (1981), 831–856.

648. Roloff, Jürgen: Die Offenbarung des Johannes (ZBK, NT XVIII). Zürich 1984.

649. Rosscup, James E.: The Overcomer of the Apocalypse, in: GrThJ 3 (1982), 261–286.

650. Satake, Akira: Sieg Christi – Heil der Christen. Eine Betrachtung von Apc XII, in: AJBI 1 (1975), 105–125.

651. –: Kirche und feindliche Welt. Zur dualistischen Auffassung der Menschenwelt in der Johannesapokalypse, in: Kirche. Festschrift Günther Bornkamm. Tübingen 1980, 329–349.

652. Schaik, Antonius-Petrus van: ᾿Αλλος ἄγγελος in Apk 14, in: Jan Lambrecht (Hrsg.), L'Apocalypse johannique (s. Nr. 616), 217–228.

653. Schick, Eduard: Die Apokalypse (GSl XXIII). Düsseldorf 1971.

654. Schinzer, Reinhard: Die sieben Siegel, Posaunen und Schalen und die Absicht der Offenbarung Johannis, in: ThBeitr 11 (1980), 52–66.

655. Schürmann, Heinz: Menschenwürde und Menschenrechte im Lichte der „Offenbarung Jesu Christi", in: Gr. 65 (1984), 327–336.

Schüßler Fiorenza, Elisabeth: siehe Fiorenza, Elisabeth Schüßler.

656. Shea, William H.: The Location and Significance of Armageddon in Rev 16:16, in: AUSS 18 (1980), 157–162.

657. –: Chiasm in Theme and by Form in Revelation 18, in: AUSS 20 (1982), 249–256.

658. –: The Covenantal Form of the Letters to the Seven Churches, in: AUSS 21 (1983), 71–84.

659. –: Revelation 5 and 19 as Literary Reciprocals, in: AUSS 22 (1984), 249–257.

660. Sieg, Frantiszek: ῞Ομοιος υἱὸς ἀνϑϱώπου (Ap 1,13). Chrystologia Syna Człowieczego (Ap 1,9–3,21) (Bob. 11). Warszawa 1981.

661. –: „Niewiasta" i „Syn" w Apokalipsie św. Jana 12 (Bob. 20). Warszawa 1987.

662. Stählin, Wilhelm: Das Buch mit den sieben Siegeln. Eine Einführung in die Offenbarung St. Johannis. Stuttgart 1974.

663. Strand, Kenneth A.: Interpreting the Book of Revelation. Hermeneutical Guidelines, with Brief Introduction to Literary Analysis. Worthington, Ohio 1976.

664. –: The Two Witnesses of Rev 11:3–12, in: AUSS 19 (1981), 127–135.

665. –: Two Aspects of Babylon's Judgment Portrayed in Revelation 18, in: AUSS 20 (1982), 53–60.

666. –: The Two Olive Trees of Zechariah 4 and Revelation 11, ebd. 257–261.

667. –: A Further Note on the Covenantal Form in the Book of Revelation, in: AUSS 21 (1983), 251–264.

668. Strand, Kenneth A.: An Overlooked Old-Testament Background to Revelation 11 : 1, in: AUSS 22 (1984), 317–325.

669. Strecker, Georg: Die Anfänge der johanneischen Schule, in: NTS 32 (1986), 31–47.

670. Strobel, August: Art. Apokalypse des Johannes, in: TRE III. Berlin/New York 1978, 174–189.

671. Sweet, J. P. M.: Maintaining the Testimony of Jesus. The Suffering of Christians in the Revelation of John, in: Suffering and Martyrdom in the New Testament. Studies Presented to G. M. Styler. Cambridge 1981, 101–117.

672. Taeger, Jens-W.: Einige neuere Veröffentlichungen zur Apokalypse des Johannes, in: VF 29 (1984), 50–75.

673. –: Johannesapokalypse und johanneischer Kreis. Versuch einer traditionsgeschichtlichen Ortsbestimmung am Paradigma der Lebenswasser-Thematik (ZNW, Beiheft). Berlin/New York 1988.

674. Thompson, Steven: The Apocalypse and Semitic Syntax. Cambridge 1985.

675. Tossou, Kossi Raphaël: La Martyria dans l'Apocalypse de Saint Jean. Témoignage divin – témoignage humain. Pontificia Universitas Gregoriana, theol. Diss. 1982. Roma 1982 (maschinenschriftlich).

676. Trevijano Etcheverría, Ramón: El discurso profético de este libro (Apoc 22,7.10.18–19), in: Salm. 29 (1982), 283–308.

677. –: La oración en el Apocalipsis, in: Salm. 30 (1983), 41–62.

677 a (= 468). Vanni, Ugo: La struttura letteraria dell'Apocalisse (Aloi. 8). Roma 1971 (Napoli ²1980).

678. –: Un esempio di dialogo liturgico in Ap 1,4–8, in: Bibl 57 (1976), 453–467.

679. –: La riflessione sapienzale come atteggiamento ermeneutico costante nell'Apocalisse, in: RivBib 24 (1976), 185–197.

680. –: Il terzo „sigillo" dell'Apocalisse (Ap 6,5–6): simbolo dell'ingiustizia sociale?, in: Gr. 59 (1978), 691–719.

681. –: Il „Giorno del Signore" in Apoc 1,10. Giorno di purificazione e di discernimento, in: RivBib 26 (1978), 187–199.

682. –: La decodificazione „del grande segno" in Apocalisse 12,1–6, in: Mar. 40 (1978), 121–152.

683. –: L'Apocalypse johannique. État de la question, in: Jan Lambrecht (Hrsg.), L'Apocalypse johannique (s. Nr. 616), 21–46.

684. –: Il simbolismo nell'Apocalisse, in: Gr. 61 (1980), 461–506.

685. –: Il sanguine nell'Apocalisse, in: Atti della Settimana di Studio „Sangue e Antropologia Biblica" II. Roma 1981, 865–884.

686. –: L'assemblea ecclesiale „soggetto interpretante" dell'Apocalisse, in: RasT 23 (1982), 497–513; auch englisch: The Ecclesial Assembly, „Interpreting Subject" of the Apocalypse, in: RelStB 4 (1984), 79–85.

687. –: Gerusalemme nell'Apocalisse, in: Atti della XXVI Settimana Biblica. In onore di Carlo Maria Martini. Brescia 1982, 27–52.

688. –: Dalla venuta dell'„ora" alla venuta di Cristo. La dimensione storico-cristologica dell'escatologia nell'Apocalisse, in: StMiss 32 (1983), 309–343.

689. –: La parola efficace di Cristo nelle „lettere" dell'Apocalisse, in: RasT 25 (1984), 18–40.

690. –: Regno „non da questo mondo" ma „regno del mondo". Il regno di Cristo dal IV Vangelo all'Apocalisse, in: StMiss 33 (1984), 325–358.

691. Vögtle, Anton: Der Gott der Apokalypse. Wie redet die christliche Apokalypse von Gott?, in: Joseph Coppens (Hrsg.), La notion biblique de Dieu (BEThL 41). Gembloux/Leuven 1976, 377–398.

692. –: Das Buch mit den sieben Siegeln. Die Offenbarung des Johannes in Auswahl gedeutet. Freiburg i. Br./Basel/Wien 1981 (²1985).

693. –: „Dann sah ich einen neuen Himmel und eine neue Erde ..." (Apk 21,1). Zur kosmischen Dimension neutestamentlicher Eschatologie, in: Glaube und Eschatologie. Festschrift Werner Georg Kümmel. Tübingen 1985, 303–333.

694. Waal, C. van der: Openbaring van Jezus Christus. Inleiding en vertaling. Groningen 1971.

695. Wilcox, Max: Tradition and Redaction of Rev 21,9–22,5, in: Jan Lambrecht (Hrsg.), L'Apocalypse johannique (s. Nr. 616), 205–215.

696. Windisch, Hans: Der Apokalyptiker Johannes als Begründer des neutestamentlichen Kanons, in: ZNW 10 (1909), 148–174.

697. Wojciechowski, Michał: Apocalypse 21.19–20: Des titres christologiques cachés dans la liste des pierres précieuses, in: NTS 33 (1987), 153 f.

698. –: Kościół jako Izrael według Apokalipsy, in: STV 26 (1988).

699. Wolff, Christian: Die Gemeinde des Christus in der Apokalypse des Johannes, in: NTS 27 (1980/81), 186–197.

700. Woschitz, Karl Matthäus: Erneuerung aus dem Ewigen. Denkweisen – Glaubensweisen in Antike und Christentum nach Offb. 1–3. Wien/Freiburg i. Br./Basel 1987.

Yarbro Collins, Adela: siehe Collins, Adela Yarbro.